COLECCIÓN SALUD

7 semanas que cambiarán su ...
Antibióticos naturales
Afrodisiacos naturales
Artritis
Asma
Cocina naturista para niños
Cúrese a través de la sensualidad
Diabetes
Digitopresión para mujeres
Felices sueños
Herbolaria casera
Herbolaria mexicana
Juguitos para niños
Medicina tradicional mexicana
Meditar para rejuvenecer
Migraña
Mundo vegetariano del Dr. Abel Cruz, El
Naturismo para mujeres
Poder curativo de la manzana, El
Poder curativo de la miel, El
Poder curativo de la papaya, El
Poder curativo de la soya, El
Poder curativo de las semillas , El
Poder curativo de los cereales, El
Poder curativo de los cítricos, El
Poder curativo de los chiles, El
Poder curativo de los hongos, El
Poder curativo de los jugos, El
Poder curativo de los tés, El
Poder curativo del aguacate, El
Poder curativo del ajo
Poder curativo del gingsen, El
Poder curativo del nopal, El
Preguntas y respuestas sobre el sida
Salud con jugos
Salud con jugos II
Salud con licuados
Salud con sábila
Síndrome premenstrual
Terapias curativas con las manos
Tés curativos mexicanos
Várices, Las
Voluntad de adelgazar, La

COLECCIONES

Ejecutiva
Superación personal
Salud y belleza
Familia
Literatura infantil y juvenil
Con los pelos de punta
Pequeños valientes
¡Que la fuerza te acompañe!
Juegos y acertijos
Manualidades
Cultural
Medicina alternativa
Computación
Didáctica
New age
Esoterismo
Humorismo
Interés general
Compendios de bolsillo
Aura
Cocina
Tecniciencia
Visual
Arkano
Extassy
Inspiracional
Aprende y dibuja

Dr. Abel Cruz

7 Semanas que cambiarán su vida

SELECTOR

actualidad editorial

Doctor Erazo 120
Colonia Doctores   **Tel. 55 88 72 72**
México 06720, D.F.   **Fax 57 61 57 16**

7 SEMANAS QUE CAMBIARÁN SU VIDA

Diseño de portada: Kathya Rodríguez Valle

ISBN: 970-643-365-1

Sexta reimpresión. Febrero de 2005.

NI UNA FOTOCOPIA MÁS

Contenido

Introducción

El sueño dorado de cualquier persona es llegar a tener una vida plena tanto mental como físicamente hablando, y por desgracia nos damos cuenta que cada día es más difícil lograrlo, debido a factores como nuestros hábitos alimenticios, antecedentes familiares de enfermedades, por el medio que nos rodea, el trabajo o por muchas otras causas; pero yo considero que no podemos lograr una realización completa si sólo nos fijamos en lo que tenemos, y no observamos lo que somos capaces de lograr; y, sobre todo debido a nuestra ignorancia, a nuestra indolencia y por qué no decirlo: a nuestra falta de carácter para desarrollarnos como lo podemos hacer.

Con base en lo anterior, y sobre todo con base en experiencias personales (a través de todas mis conferencias, en mis consultorios y en los diferentes foros en los que me he presentado) me he dado cuenta al estar en contacto con la gente que quizá uno de los defectos mayores del ser humano es no darse cuenta cabalmente de su potencial, de ese inmenso universo en el cual tiene una función que cumplir. Pero para poder hacerlo es necesario que se prepare tanto física como anímicamente para enfrentar con éxito cada reto o cada actividad que realice, y que él es una estrella del universo infinito, pero que puede brillar con luz propia. Así nace la idea de desarrollar este pequeño manual, cuya finalidad es precisamente la de ayudar a aprovechar de una forma sencilla y práctica el potencial del ser humano, por medio de actos tan sencillos como: aprender a respirar de manera sana, una alimentación balanceada, y sobre todo reconocer nuestros sitios de energía vital y conocer un poco de metafísica. Seamos capaces de descubrir el potencial de nuestro cuerpo; de hallar en el organismo la capacidad de trascender al cuerpo y ser capaz de explorar las características del funcionamiento corporal en el diario vivir, sin emplear mucho tiempo.

Se dice que en el futuro el arma más poderosa que va a ser utilizada, será el aprender a explorar las potencialidades existentes en nuestro cuerpo, del cual poco a poco se han descubierto infinidad de funciones, pero es tan maravilloso, que ni una sola de nuestras células cerebrales han podido ser imitadas por las computadoras más poderosas en sus funciones más elementales. Un músculo o una articulación han tratado de ser imitados sin conseguir la variedad de movimientos que poseen y, sobre todo, la perfecta armonía con que el cerebro, a través de todos los integrantes anatómicos hace funcionar de manera armoniosa cada parte de nuestro cuerpo.

Algo que quizá ningún mecanismo artificial logre es el pensamiento creativo, la ensoñación y la habilidad de adaptarnos a cualquier entorno sólo es y será logrado por seres tan superiores como los humanos. Pero muchos no lo entienden así; se consideran seres falibles, seres a los que la naturaleza dotó de fallas constantes y que sólo sirven como base en una pirámide en la cual jamás lograrán destacar para ser un elemento mil veces más importante de lo que ahora son. Sin saber que en su cuerpo está la semilla de una vida poderosa y llena de sueños realizables.

Cuántas veces, al despertarnos, quisiéramos hacerlo de manera optimista, sin prejuicios y complejos, sintiéndonos plenos, viendo cómo cada instante de nuestro diario vivir se desplaza con la vitalidad y equilibrio que nos da la oportunidad de saborear nuestro trabajo, vida familiar, descanso y recreaciones. Deseo decirte que es posible realizarlas en un cien por ciento. ¿Cuántas veces quisiéramos ponernos una meta y saber que somos capaces de lograrla? ¿Cuántas veces hemos anhelado que esa persona que tenemos frente al espejo sea la que creemos que es capaz de ser?

Pensando en esto, decidí escribir una guía, un minicurso que nos permita a través de actos sencillos, que no requieren tanto tiempo y que tampoco altera la rutina de nuestro diario vivir, poder cambiar nuestros pensamientos, nuestros hábitos alimenticios, el aprender a respirar, concentrarnos en lo que deseamos, y sobre todo, lo que realmente podemos ser.

A través de este libro, quiero comunicarme contigo, con ese ser libre de ataduras, con ese ser maravilloso que cada vez que sueña hace realidad su proyecto de vida, ese plan que tarde o temprano llegará a realizarse. Quiero que pienses que cada acto de tu vida es importante, pues la vida se va componiendo como un rosario en el que todas las cuentas son especiales, y que si falta alguna de ellas o varía su tamaño y el color, deja de tener el equilibrio que hace que su apariencia y forma pertenezca al mismo género. Así es la vida de los seres humanos, somos rosarios de color y valor diferentes. Esa diferencia hace que el valor de los humanos cambie de uno a otro, determinado está no por nuestro nacimiento sino por los actos que vamos desempeñando en nuestra vida. Esa diferencia se va marcando más de acuerdo al camino de luz que cada quien va encontrando en cada acto de su vida, así como de la brillantez que nuestro ser va adquiriendo con la experiencia lograda.

Recuerda que hay un *ser superior, un ser supremo* al que diariamente nos tenemos que encomendar. Ten presente que el optimismo y los deseos inmensos de vivir son la parte fundamental en la vida del ser humano para conservar la salud y la vida a la que tenemos derecho. Acuérdate que así como aparentemente tenemos a nuestro alcance lo que nos destruye, de la misma manera la madre naturaleza nos pone a nuestro alcance los medios adecuados, para que cada día vayamos reponiendo esa energía que nos permita regenerar el desgaste que va sufriendo nuestro cuerpo y nuestra mente.

Aprende a ir conociendo el camino de una salud adecuada y, sobre todo, el viaje de reconocimiento de chakras que te permite el manejo adecuado de todas tus energías, complementando la utilización de diferentes terapias que te harán conocer la energía curativa de lo natural.

Recuerda que el conocimiento da sabiduría y, sobre todo, si vas conociendo tu cuerpo en su real dimensión, llegarás a explotarlo de manera pronta, te hará sentir más confianza en tu propia persona. Así mismo, serás capaz de ver el mundo real con la energía y la fe suficiente para comprobar que el universo es tuyo, te hará comprender que cada instante de vida que posees es vital en el disfrute, utilización y gozo total que hará que cada día nuevo tenga matices insospechados para ti.

Algo que en muchas ocasiones no nos permite darnos cuenta del valor y color de nuestra vida, es el cansancio al que diariamente nos enfrentamos. Nos sentimos agotados, vacíos de energía, sin aliento de vida y físicamente mal, todo lo anterior se debe principalmente al estrés y al mal manejo de energías; así que vamos a practicar los ejercicios que vas a encontrar en este manual y verás que diariamente encontrarás que tu cuerpo es una máquina llena de vigor y energía física y mental.

Nunca se te olvide que cada acto de tu vida encierra el ritual que te permitirá ir cambiado tu percepción de las cosas, vas a encontrar la fortaleza y la voluntad necesarias para llevar a cabo lo que deseas. Recuerda que la paciencia es la clave en cualquier acto aprendido, cada conocimiento sera analizado con toda rapidez y además por medio de la conciencia asociada te permitirá ya no cometer los errores a los que desgraciadamente te has acostumbrado. Recuerda que la pureza del pensamiento va ligada a la pureza de actos. Siempre en los actos de nuestra vida somos conscientes de ello, y por eso cuando algo anda mal, nuestro inconsciente constantemente nos lo reclama y por eso rectificamos, pero solamente cuando tenemos esa conciencia funcionando limpiamente somos capaces de hacer modificaciones. Así que sé feliz, pero sobre todo, practica la honestidad y trata hasta donde más puedas de ser fiel a tus convicciones. Ojalá encuentres en este libro maravilloso la fuerza y el conocimiento que has estado buscando.

En estas *siete semanas del milagro*, encontrarás la fuerza moral, la motivación, la guía nutricional y sobre todo, la energía mental suficiente para poder cambiar cada acto de tu vida y, finalmente, logres la trascendencia que es necesaria a tu mente para dimensionar la vida misma.

Recuerda que lo importante es llevar a la práctica todo lo que aquí lees, este libro es una guía **práctica**, para que tú y solamente tú seas el que promueva esa vieja tradición que se llama **salud.**

Comencemos, como siempre: *Bienvenidos al Mundo Naturista del Dr. Abel Cruz.*

*Porque mientras estábamos en la
carne, las pasiones pecaminosas que
eran por la ley obraban en nuestros
miembros llevando fruto para la muerte.
Pero ahora estamos libres de la ley,
por haber muerto para aquella en que
estábamos sujetos, de modo que sir-
vamos bajo el régimen nuevo del
Espíritu y no bajo el régimen viejo
de la letra.*

ROMANOS VERS. 7:5,6

Con infinito amor a mis hermanos.

Dr. Abel Cruz

las aves tejen y construyen sus casas de apartamentos, cómo las hormigas hacen trabajo de huerto y mantienen "ganado", cómo las luciérnagas simulan ser pequeñas linternas, cómo anuncian la lluvia los grillos, cómo el canto de las aves y el crujido de los pequeños animales que viven y se mueven en la maleza simulan una hermosa sinfonía, y cómo, aunque no podamos observar hasta las grandes alturas, flotan millones de criaturas minúsculas o bajo nuestros pies viven, incontables microorganismos que son bañados por la luz y tocados por la obscuridad, todo absolutamente todo lo que se encuentra en nuestro alrededor desde las grandes regiones polares hasta los desiertos más secos o en el mar y en el aire, están conformando a cada momento la *vida... el maravilloso milagro* que nos llena de admiración, de asombro. Pero, no sólo existen maravillosos milagros en lo anterior, ahora cierra tus ojos y siente cómo palpita tu corazón, cómo transita el aire por tus fosas nasales cada vez que respiras y cómo armoniza con el ritmo de tu abdomen, cómo se inundan tus pulmones de oxígeno, cómo el aire y el sol acarician tu piel, percibe cómo los sonidos te mantienen alerta, cómo tus pensamientos transitan hasta que de tu boca surgen las palabras. Ahora abre los ojos y mírate de cerca en un espejo, observa *el maravilloso milagro* que es el cuerpo humano, que se recrea a través de lo que ve gracias a los ojos, de cómo luce tu cabeza y cuerpo porque están repletos de millones de cabellos que cubren uno tras otro tu piel, de cómo gracias a la existencia de músculos, ligamentos y articulaciones es posible que logres sostenerte de pie o mover tu cabeza. En fin, también nosotros poseemos *el maravilloso milagro de la vida* y el privilegio de ser una de las tantas maquinarias perfectamente diseñadas de pies a cabeza para disfrutar de la *vida*… Pero acaso te has preguntado ¿cómo se presentó? ¿Cómo se ha mantenido ese maravilloso milagro que es la vida? No hablaré de religión, no deseo entrar en demasiados detalles, ya que esto es tema que interesa a otros autores. Abordaré simplemente el hecho de que se encuentra aquí y gobierna nuestro ser. Tan sólo deseo que reflexiones un poco, porque esto nos concierne, sobre todo porque quizá vivamos 70, 80 o 90 años más ¿quién sabe? Hoy en día, son millones las personas que creen en la evolución de la vida, otros tantos millones son las que creen que ha habido creación y otros tantos están inseguros en cuanto a qué creer; lo cierto es que cuando se cuestiona el origen de la vida, la opinión y la emoción ejerce un poder majestuoso de atracción hacia todos aquellos *milagros* que han hecho posible a la *vida*. Pero el hecho de que hayamos llegado hasta aquí sea por creación o por evolución no cambia nada, aunque quizá ahora te digas que no te importa porque… aquí estás, pero hay también aquellos a quienes sí les inquieta y hay también aquellos que posiblemente comenzaron a recordar libros como: El origen de las especies, quizá algunos libros de Teología, Antropología, Filosofía, Sociología y muchos más, en los que se explica el cómo se presentó la vida y el cómo se ha mantenido hasta ahora.

Antes de proseguir quisiera aclarar que no sólo me interesa que reflexiones sobre lo anterior, sino también sobre los avances que se han dado con el transitar de la vida, quizá desde el paleozoico en donde la evolución de la vida en sus formas primitivas multicelulares circulaban libremente por el mar hasta llegar a las especies terrestres o por qué no, también desde que se crea el paraíso que les es dado y arrebatado a Adán y Eva; en cómo la curiosidad de los pueblos antiguos con respecto al día y la noche, al Sol, la Luna y las estrellas les llevó a descubrir la Astronomía y que ese interés actualmente ha dado base a cada uno de los progresos en Física, proporcionando nuevos tipos de instrumentos astronómicos, algunos de los cuales se han empleado para llegar hasta la Luna y explorar el espacio exterior; también en cómo la medicina primitiva ha avanzado hasta permitir que con la medicina moderna se controlen muchas enfermedades infecciosas gracias a las vacunas, los antibióticos; pero sobre todo, lo más importante es recordar que cada uno de los descubrimientos que han sido posibles hasta hoy en día, se deben a la preocupación por la mejoría de las condiciones de vida porque definitivamente éstos pueden ayudarnos a cambiar el rumbo de nuestras vidas no sólo para un futuro sino también desde el presente.

La tecnología avanza más allá de lo que te puedes imaginar, las religiones tradicionales están redefiniendo sus papeles, sus enseñanzas, muchas de las antiguas formas se desintegran y surgen nuevas direcciones y directrices, nos hallamos ante un tremendo cambio. Sin embargo, también es cierto que los mismos avances han destruido al *maravilloso milagro de la vida*, porque hemos sido capaces de invadir a la naturaleza misma y no conformes con esto también contribuimos con la contaminación, impregnando el aire con las emisiones industriales de incineradoras, de motores de combustión interna y otras fuentes; hemos contaminado también el agua, los ríos, los lagos y los mares con los residuos domésticos, urbanos, nucleares e industriales, o contaminando el suelo con productos que afectan a la salud, la calidad de vida o el funcionamiento natural de los ecosistemas. Pero no sólo hablo de la contaminación hacia la naturaleza del ambiente, también me refiero a todos esos productos que han entrado por nuestra boca a través de alimentos más muertos que vivos, cada vez más industrializados, invadidos de conservadores y químicos que sólo contaminan el cuerpo, también debo mencionar esa contaminación en nuestra mente y espíritu por todas esas insatisfacciones internas que sólo logran contaminar el alma y las relaciones no sólo con los demás sino también consigo mismo. Y a pesar de vivir en este cuerpo durante años sólo cuando algo anda mal podemos sentir como si viviéramos dentro de un cuerpo completamente extraño, solemos ver a la enfermedad como la causa de algo procedente del exterior, de algo que se está apoderando de nuestro interior, sin ponernos a pensar que lo que está dentro de nosotros mismos es algo que dejamos penetrar y habíamos mantenido ahí.

Por todos estos sucesos es que se corre en busca de ayuda en la medicina, la religión y las terapias de los grandes maestros para encontrar respuestas, porque hemos sido capaces de llegar hasta la Luna y explorar el espacio exterior; sin embargo, aún somos incapaces de explorar y conocer lo que le sucede a nuestro ser. Aún no estamos seguros de sumergirnos en la vasta belleza que se oculta como una perla en una ostra; está en espera de ser encontrada y disfrutada en nuestro ser. Aún no comprendemos que somos humanos y que tenemos un cuerpo, sentimientos, sentidos, percepciones, pensamientos, sueños, deseos e ideas, que somos capaces de sentir dolor, placer y alegría. Si no crees que sea así, tan sólo permítete comenzar con este intento: empieza a pensar en la salud y la paz interna como lo más importante en tu vida, experimenta cómo has encontrado que ahora tienes una actitud que te invade desde la profundidad y que surge infundiéndote ánimos de alegría y de vida.

Podemos continuar como estamos, haciéndonos daño a nosotros mismos, unos a otros, sabiendo que debemos colaborar para que las cosas cambien o bien comenzar hoy a reconciliar los agravios y a descubrir que no se nos impide disfrutar y vivir una vida plena, cuidadosa y sensible que nos llene de salud, pero sobre todo que nos recuerde el *maravilloso milagro* que es la *vida*. Muchos dicen que un milagro es divino, otros dicen que es una fuerza de la vida y otros opinan que es la conciencia universal, lo cierto es que el nombre no importa, la experiencia es sentir la presencia de esa fuerza que es la que nos mueve, la que nos lleva a otros lugares.

Acaso no te has preguntado ¿Cuál podría ser el propósito de vivir aquí? Quizá te has contestado que no es sino para encontrar alegría y satisfacción como seres humanos que viven con salud y en paz, es decir, descubrir la maravilla y la gloria que es estar vivos, que es la verdadera belleza de nuestra existencia como seres humanos: un corazón que late y envía sangre que nutre a todo nuestro ser, un proceso que a través de la respiración infunde fortaleza y oxigena cada célula, órganos que limpian y mantienen la salud en el cuerpo, un cerebro que es el centro de la inteligencia, un alma que no se alimenta de proteínas, grasas o carbohidratos sino de amor, belleza, color, música, naturaleza y expresión. ¿Acaso no es todo esto un propósito para disfrutar el vivir aquí? Si tu respuesta no se parece a esto, entonces toma toda esta experiencia y deja que crezca como una semilla recién plantada, con el tiempo terminará por florecer, de eso sí estoy seguro.

Algo muy importante es mencionar que no debemos enfermarnos para preocuparnos por recuperar la salud, porque podemos recuperarla a cada momento que estemos dispuestos, sin necesidad de desmoronarse ante la tormenta que se deja venir con la enfermedad; para esto es que necesitamos tomar el suficiente *valor* y *fe* para abrir nuestro corazón, mente y cuerpo, porque ya lo dice esta frase:

"La fe puede mover montañas".

Por ejemplo, hay quienes comienzan cambiando algunos muebles de una habitación para crear un nuevo ambiente, o quienes quizás cambian su rutina diaria y agregaron alguna actividad con ejercicio o bien aprendieron algún ejercicio de relajación y meditación, y hay también quienes agregaron a su dieta algunos alimentos más frescos y enteros creando poco a poco su camino hacia el milagro que es la salud, porque como veremos en este libro el camino y el viaje hacia la salud y la sanación es el de un despertar poco a poco con respecto a sí mismos, porque tan sólo el crear un momento de sanación significa crear un tiempo para encontrar el equilibrio y el propio propósito, para tomar nuevos bríos de cada momento y hacerlos que valgan la pena para descubrir la belleza que es disfrutar hasta de esa sonrisa que hacía mucho no esbozaba tu ser, abrirnos hacia la salud y la sanación es impregnarse de paz, de calor y de bienestar desde las plantas de nuestro pies hasta lo más alto de nuestra cabeza, desde los sentimientos más profundos hasta las satisfacciones externas que pueden ser palpables con las yemas de los dedos. Y aunque sé que habrá momentos en que todo parecerá estar bien y en otras quizá vaciles ante esto, estoy seguro que poco a poco encontrarás que posees un *maravilloso don* que te permitirá reconocer el cuerpo en el que pasarás toda tu vida, siéntelo como si se tratara de un templo, atesora tu cuerpo, atesora tu respiración porque ésta le da vida, date cuenta que recibes una invitación para descubrir las grandes riquezas que encierran la vida y la salud. En principio, porque sencillamente todos somos seres que participamos juntos de la vida en este planeta, diferentes pero unidos, ésa es nuestra humanidad compartida, el contenido difiere pero no la esencia, no importan los aspectos destructivos, si no somos lo bastante inteligentes, lo bastante guapos, atractivos, agradables, porque podemos disfrutar de las diferencias y sentirnos encantados con la diversidad. Vivir es respirar, sentir, aceptar, permitir, creer que somos capaces de lograr crecer, movernos, explorar y comprender cómo cada pieza es una parte del todo que permite que una imagen sea completa.

Y para esto necesitamos de un tiempo para sentarnos y explorar las posibilidades; es descubrir lo olvidado, lo ignorado y acercarlo a la luz, es como la respiración, en ocasiones ¡nos olvidamos de respirar!, siendo que la respiración es la base de nuestro ser, es la parte que aporta vida y nos mantiene en el universo y es la parte esencial para obtener la salud; aunque sea sólo por un momento detente y respira profundamente, siente cómo el aire desciende hasta tu vientre, deja salir el aire lentamente, ya sea por la boca o por la nariz, percibe cómo es la vida y cómo si existía algún motivo de tensión oculto en el cuerpo, surge y se aleja con cada expiración; es como inspirar alivio y expirar temor o tensión. Como ves, el cambio es la misma esencia de la vida porque a cada momento es diferente, todo está en proceso de nacer, vivir y morir, nuestros pensamientos, nuestros sentimientos y actitudes cambian, nada permanece igual.

Es curioso observar cómo la gente, una vez que se enferma cree que si se opera o toma un determinado medicamento se curará como por arte de magia; sin embargo, esto no es cierto, puesto que se necesita primero afrontar cada uno de los aspectos que le llevaron a enfermarse, es decir, observar los hábitos de alimentación, el comportamiento físico y mental para entonces sujetarlos y tratar de cambiarlos, no se puede disolver esa unión que existe entre la mente y el cuerpo, porque cuando no se toman en cuenta estos aspectos, se pretende sanar el cuerpo sin sanar el ser; así entonces, para comenzar a estar y sentirnos sanos debemos ser conscientes de la salud en el aspecto psicológico, emocional y físico, es decir significa ser completos y tener la plenitud en el cuerpo, la mente y el corazón. ¿Pero cómo lograrlo? Es aquí en este punto en donde a través de mi experiencia como médico y como ser humano me permiten colaborar enseñándote a obtener esos resultados tan maravillosos que he experimentado personalmente, así como los que ya han experimentado mis pacientes que han seguido y disfrutado de este viaje de sanación a *Las siete semanas del milagro* y que ahora tú también puedes disfrutar, ya que podrás vencer enfermedades, quizá hasta en un periodo de siete días. Porque este libro nació de la alegría y la satisfacción que experimenté cuando muchos de mis pacientes se recuperaron de alguna enfermedad, espero que al terminar de leer este tesoro consigas eliminar tus tensiones, enfermedades o por qué no algunos indicios de la temida vejez. Ojalá que también logres descubrir que puedes protegerte y curarte de enfermedades como la tensión nerviosa o la ansiedad, no importa la edad, economía o fama, porque a través del conocimiento y de la aplicación de cada una de las recomendaciones aquí contenidas y a medida que conozcas más tu cuerpo íntimamente, serás capaz de emprender el camino hacia la salud y la sanación, porque éstas no son una función del médico o algo que se obtenga como algo sobrenatural, sino que comprendas que son una función humana básica, y todo esto lo puedes obtener a través de la práctica de *"siete semanas de salud mental, física y espiritual"* durante la cual obtendrás la enseñanza suficiente para mantenerte bajo la línea de la salud, todo lo que pienses y realices, será aquello en lo que te convertirás. Como consecuencia, si comienzas a observar en lo que te has convertido, podrás ver cómo has estado pensando y actuando, como dice esta frase:

"Las arrugas de la frente... tal como los surcos en la tierra del campo, nos indican lo que ha sido sembrado en su interior".

Así entonces, es la hora de tomar el rumbo de tu propia realidad y elegir si te hundes o sales a flote. Por ejemplo, las dificultades físicas pueden enseñarte una gran lección para comenzar: al prestar atención a los sentimientos respecto a una parte del cuerpo afectada por el dolor; al escuchar realmente lo que trata de decir esta parte, escucharás esas palabras inaudibles, porque posees la capacidad de reconocer con claridad lo que dice el cuerpo, pero que no podía reconocer la mente. Así pues, la salud y la enfermedad pueden ayudarte mucho a salvar tu vida, puede ser una encrucijada, una oportunidad para mirar dentro de ti mismo y comenzar a realizar cambios, pueden ser una oportunidad para ver lo que es importante, son la oportunidad de desprenderse de pautas del pasado, son la oportunidad ideal para reconocer lo que hace falta, son la oportunidad de introducir todo aquello que infunda vida, que anime y sean posibles de realizar, son todo aquello que sea intrépido y hacia lo que nos acerquemos con el corazón y la mente abierta, todo absolutamente todo lo que necesitemos para crear un ambiente para vivir. Ser así como lo anterior, es verdaderamente vivir y usar cada día que tienes del modo más completo que puedas, es obtener la calidad de vida antes que la cantidad.

Así pues, no retardaré más este inicio y como cuentan que la creación se realizó en siete días, de esa misma manera en la que se dio con un solo toque el tiempo necesario a cada cosa y a cada una de las partes faltantes, a cada día que se lleve a la práctica las enseñanzas de este libro, se proporcionará el espacio idóneo para que cada actividad sea el principio y la continuación para encontrar el camino de la salud.

Primera semana

Hoy, mañana y todos los días de esta semana serán los más importantes para tu vida, porque son el comienzo para disfrutar y conformar este viaje hacia *Las siete semanas del milagro*, ahora procura tomar entre tus manos este libro y abrazarlo contra tu corazón, permítete invadirte de toda la energía, el esfuerzo y el cariño porque este libro y estos días fueron planeados tan sólo para otorgarte las llaves de la *vida* y la *salud*. Disfruta de cada día, porque no habrá otro igual, vívelo, pero sobre todo sé feliz realizando lo más entusiastamente posible todas las actividades de cada día. Y como nuestro cuerpo necesita de un amplio surtido de material de reserva para atender las posibles reparaciones que sufre con el desgaste diario, te he preparado una especie de ruta que deberás seguir todos los días, para que logres observar que el cuerpo nunca cesa, que continúa su crecimiento mientras exista la vida, y que no importa cuál sea la edad que se tenga porque todos los días se necesita: *vivir*, *amar* y *aprender*.

Mañana

Una vez que los sonidos del ambiente y la luz de cada día te despierten con su gracioso toque de *vida*, aún recostado sobre el lecho, disponte a **elevar el mejor de los pensamientos**, reflexiona y escúchate a la vez que los pronuncias. Sigue esta hermosa frase a diario:

"La vida es una antorcha que necesita de cada una de mis mejores intenciones para que siga iluminando mi corazón, mi cuerpo y mi mente, y especialmente hoy la puedo comenzar a cuidar".

Aunque también puedes comenzar cada día con alguna oración, no importa cuál sea tu creencia religiosa, ya que según los grandes pensadores de todos los tiempos, las mejores oraciones son las que salen del corazón y circulan por todo el pensamiento a la vez que inundan de paz cada rincón del cuerpo con su energía y magia. Si comienzas todos los días tan sólo con esta actitud positiva de agradecimiento será una de las mejores enseñanzas que te podrán abrir las puertas del trabajo, del amor, de la felicidad y de la salud, pero sobre todo, que te llevarán a disfrutar de esta primera semana de *sanación*.

Levántate del lecho y enciende una vela blanca y una varita de incienso de sándalo para que continúes y armonices el ambiente desde las primeras horas de cada día. Así, una vez que te has invadido de un pensamiento positivo, prepárate a realizar una de las actividades más importantes para la vida y la salud; es algo que muchas de las ocasiones nos olvidamos de realizar al menos una vez al día correctamente; se trata de "*respirar profundamente*". Cierto, pensarás que si no respiráramos no estaríamos ahora aquí ni tú ni yo; sin embargo, casi siempre olvidamos verdaderamente lo que significa respirar y no sólo tomar aire y sacarlo como si esto fuera más malo que bueno.

Al igual que una cadena, la respiración está formada de numerosos eslabones conformados por las inhalaciones y las exhalaciones; por tanto, si deseas vivir con plenitud debes respirar hondamente por lo menos unos minutos al día, recuerda que nuestro cuerpo es un mecanismo magníficamente diseñado que *vive*, se *alimenta* y *respira*. Y tan sólo *respirar* es hacerlo de una manera armoniosa, para que comiences a relajarte, si no sabes cómo hacerlo, dicen que cuando se tiene la disposición cualquier momento será bueno para *aprender* y si con ello podemos llegar a obtener más *vida*; entonces es tiempo de comenzar la **respiración profunda**. Acércate a una ventana y mira el horizonte, cierra los ojos y relaja todo el cuerpo, procura mantener la columna recta con la cabeza, el cuello y el tronco, deja que poco a poco la respiración se torne más profunda, así cada vez más suave y armoniosamente. No te esfuerces por introducir aire, procura no mover las ventanillas de la nariz, los hombros y el pecho porque éstas deben permanecer inactivas durante todo el ejercicio. Concéntrate en el espacio faríngeo que está situado en la pared posterior de la boca. Contrae ligeramente los músculos, ahora inhala a través de este espacio, comienza a llenar la parte baja de los pulmones, después la parte media y al final la parte alta. Cuando exhales debes sacar el aire de la parte superior, después la media y al último la parte inferior, no pienses que lo anterior es una actividad separada, es tan sólo realizarlo de manera suave y continua como si estuvieras escribiendo o llenando un vaso de agua. Cuando hayas terminado con la inhalación suave y sin esfuerzo, detente uno o dos segundos, contén el aliento, después comienza a respirar con lentitud. Llena y vacía los pulmones de manera suave, en estado de completa relajación. Continúa así dos minutos más y abre los ojos.

Esto es suficiente para un día. No debes repetirlo dos veces el mismo día aunque te haya parecido extraordinaria la experiencia, ya que el oxígeno que se ha acopiado en cada experiencia es suficiente, tan sólo repítela al siguiente día, pero no ejecutes más de seis respiraciones profundas durante esta primera semana.

Muy pronto verás que uno o dos minutos de respiración profunda son tan poco, pero a la vez son demasiado, porque estás llevando el suficiente oxígeno que será transportado a través de la sangre y a todas las células de tu cuerpo.

Y como estás comenzando esta semana el viaje hacia la sanación, es posible que tu cuerpo esté cansado, también quizá un poco agotado por no haber descansado o dormido suficientemente, para reanimarte practica a diario el siguiente *ejercicio revitalizante*. Tal como estás frente a la ventana respira tranquilamente, siente cómo el corazón, la mente y los pulmones se llenan de aire. Cada cuatro segundos, gira la cabeza hacia el lado izquierdo, detente en esa posición, regresa la cabeza hacia el centro y repite el ejercicio hacia el lado derecho. Es conveniente realizarlo al menos cuatro veces seguidas.

Justo después de esto, estás en un momento especial porque el cuerpo y la mente están más despiertos y listos para embarcarse en un viaje, para el que he preparado un mapa con pasaporte al "espacio" que habita la mente, el cuerpo y el espíritu... por lo cual te sugiero lleves poco equipaje, es un territorio poco explorado, pero por el cual viajarás para convertirte en el mejor de los exploradores de ese maravilloso cuerpo que posees. Aunque primeramente, es necesario que te familiarices con el siguiente diagrama que te permitirá explorar el grandioso y maravillo tesoro de energía que posees en el cuerpo.

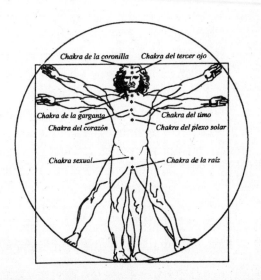

CHACRAS	FUNCIÓN	COLOR
Coronilla	Espiritualidad	Violáceo
Tercer ojo	Sabiduría	Añil
Garganta	Comunicación	Azul
Timo	Paz	Agua marina
Corazón	Amor	Verde
Plexo solar	Poder	Amarillo
Sexual	Sexualidad	Anaranjado
Raíz	Seguridad	Rojo

Así entonces, prosigue con el *viaje de reconoci-miento de chakras*, frota las palmas de las manos tal como si tuvieras frío y quisieras calentarte, frótalas suave pero firmemente hasta que sientas que ya están calientes. Respira tranquilamente para mantener el equilibrio entre la mente y el cuerpo. Cierra los ojos y mira hacia adentro. Coloca la palma de la mano en la base de la columna, ahí se encuentra el primer chakra de la raíz a explorar, éste se encuentra dentro del cuerpo, ahora mueve la mano apartándola de 3 a 4 cm de la base de la columna, siente cómo irradia energía propia hacia la mano. *¿Acaso no es maravilloso sentirla?* Coloca la mano derecha y la izquierda enfrente y atrás del cuerpo respectivamente; experimenta cómo, aunque exista distancia entre la mano y el cuerpo, se logra percibir el calor o el frío, quizá un poco de cosquilleo o bien un palpitar, cuando ya te hayas deleitado con este primer encuentro con el chakra de la raíz, prosigue con la ruta que te guiará hasta el chakra sexual, coloca la mano sobre el cuerpo, de nuevo apártala poco a poco hasta llegar a los 3 o 4 cm, ahora percibe cómo también se irradia energía de esta zona. Continúa maravillándote, percíbela un poco más, recuerda respirar armoniosamente, ahora ve ascendiendo por el cuerpo y detente a disfrutar poco a poco de cada chakra, justo como lo hiciste con los anteriores hasta llegar al chakra de la coronilla. En todo momento percibirás una vibración cada vez más intensa y diferente, relaciónala con los colores como se mencionó en el recuadro anterior para colorear tu interior tal como si tuvieras un arco iris por dentro. Una vez que hayas recorrido el camino y logrado ver y sentir todos los chakras, sin abrir los ojos, concéntrate de nuevo para que percibas cómo te sientes, ahora abre los ojos, *"Sé bienvenido a esta nueva manera de ver y sentir tu cuerpo"*.

Esta semana deberás realizar este viaje a diario, sobre todo para recordar que tu cuerpo posee la magia suficiente que ilumina tu interior y que si logras aprovechar este sencillo ejercicio, alcanzarás la experiencia más sublime al experimentar iluminarse hasta en la oscuridad que acompaña al camino de la vida. Puede ser que al principio no logres ver o sentir con la misma fuerza todos los chakras, lo importante es que comiences a sentir cómo tu sentido del tacto está siendo más sutil y más perceptivo a medida que pasan los días; así entonces, cuanto más repitas esta experiencia más mejorarás.

Muy bien, cada día de esta semana, cuando termines de disfrutar de todas estas actividades purificadoras de la mente y del espíritu, deberás dirigirte a escoger la ropa que usarás cada día. Después ve al lugar en donde continuarás limpiando todo tu cuerpo; se trata de tomar un **baño con agua**, para esta semana utilizarás un jabón y champú de romero, así como aceite de menta y un guante de ixtle destinado especialmente para ti. Cuando estés en el baño, retírate toda la ropa y colócala en un lugar donde no vuelvas a tocarla. Acércate y abre la llave del agua, regula la temperatura del agua para que no sea muy caliente. Colócate de frente a la salida del agua y disfruta de tocar primero con las puntas de los dedos y después con las palmas de las manos las gotas del agua que caen por la regadera, poco a poco ve introduciendo cada parte del cuerpo, disfruta cómo cada gota de agua baña, refresca y resbala por tu piel. Sin que el agua golpee la cabeza, llévala con las manos hacia la cabeza para humedecerla, lávate el cabello con champú, da al cuero cabelludo un masaje con las yemas de los dedos, nunca con las uñas, y enjuágalo del mismo modo de como lo humedeciste. Terminado lo anterior, procede a humedecer el guante y frotarlo con un poco de jabón, frótalo contra ti, por la parte anterior del mismo, realízalo primero en la mano derecha y continúa con el brazo hasta el hombro, cambia de mano; continúa por el brazo y hombro del lado izquierdo, sigue por el cuello, el pecho y luego el abdomen. Después pásalo por la parte anterior de cada pierna hasta llegar a los pies y continúa así hasta cubrir todo el cuerpo. Cierra poco a poco el agua caliente y termina con agua lo más fría que soportes. Enjuaga el guante y cierra la llave del agua, colócalo cerca de una ventana por donde los rayos del Sol y la Luna lo carguen de energía. No retires las gotas de agua que quedaron en ti con la toalla, espera unos minutos a que sequen o bien puedes hacerlo con las manos a la vez que te unges el aceite de menta, hazlo suave y delicadamente, percibe cómo el aire del ambiente se une a ti y colócate la ropa interior.

Este baño ejercerá beneficios vitalizantes, tonificantes, energizantes, antiinflamatorios, diuréticos, tranquilizantes, higiénicos, eliminador de toxinas, estimulante de la circulación del sistema nervioso central, de los músculos, gracias a los poderes que posee el *agua*; sí, tan sólo *agua*, el elemento que es, ha sido y seguirá siendo la sangre de la Tierra y la encargada de nutrir y curarnos sabiamente a través de la naturaleza purificadora que posee. No por nada ésta ha sido recomendada desde 3000 años a.C. por sus propiedades curativas, ya fueran egipcios, espartanos, macedonios, etcétera. Así también Pitágoras recomendaba a sus discípulos tomar baños para fortalecer el cuerpo y el talento, tú como ellos, seguirás a diario estas sabias enseñanzas. Cuando termines cada baño ve a tu habitación, camina y percibe cómo aun el suelo de tu hogar te comunica señales de vida provenientes desde las entrañas de nuestra madre Tierra. Procede a vestirte, procura que cada prenda que coloques sobre ti armonice con el ambiente, pero que sobre todo refleje lo mejor de ti mismo en esta tu primera semana del milagro.

Una vez que te vistas cómodamente, disponte a dirigirte hacia otro lugar maravilloso: la cocina, el lugar donde preparas todo aquello que no sólo el cuerpo y la mente necesitan para convertirlo en energía pura y nutrirse. Es un lugar especial en el cual esta semana podrás comenzar también a desarrollar dones muy especiales: *armonía, equilibrio, creatividad* y *salud*.

Para el *desayuno*, elige cualquiera de los siguientes menús, aunque te aliento a ir más allá de éstos para que explores nuevos sabores y combinaciones.

Menús para el desayuno

Un vaso de agua
120 ml de jugo de arándanos
Duraznos rebanados con tofu
Hot cakes de trigo integral con miel de abeja
Una taza de té

Un vaso de agua
Ensalada amarilla
Buñuelo de manzana
Té de limón

Un vaso de agua
Huevos volteados
Bisquet de soya
Licuado de fresa

Esta semana agrégale a cada plato que elijas unas pizcas de *amor* y un puñado de *felicidad*, coloca todo en la mesa, utiliza a diario un mantel blanco y acerca un vaso de agua que deberás mantener intacto, siéntate, descansa la espalda sobre el respaldo de la silla, mantén las manos juntas muy cerca de la frente o chakra del tercer ojo, inclina la cabeza hacia el pecho, si lo prefieres cierra los ojos y pronuncia la siguiente frase que estoy seguro te hará reflexionar sobre lo que estás a punto de realizar:

"Así como el cereal es alimento para el cuerpo, la reflexión es el alimento para el alma".

baja las manos, abre los ojos, ahora sí buen provecho.

Cuando sientas un poco de hambre a medio día puedes tomar un vaso de agua y después si quieres algún pequeño bocado de los siguientes refrigerios:

100 ml de yohgurt de ciruela pasa
1 gelatina de limón
2 orejones de chabacano

Respecto a cada menú anterior estoy seguro que te dará resultados sutiles pero definitivos con respecto a tu salud. Sólo te adelanto que notarás que tienes la misma energía al final del día como cuando lo comenzaste.

A diario, después de terminar con el desayuno, dirígete al baño para cepillarte perfectamente los dientes y realizar un *ejercicio fortificante.* Así frente al espejo, mírate tal cual eres, esto puede parecer inquietante; sin embargo, es una actividad poderosa que te permite descubrir quién eres realmente tanto física como mentalmente, aunque también es de cierto que "por más que te mires al espejo, jamás sabrás quién eres verdaderamente si no eres honesto y te abres a la realidad que está frente a ti". Entonces, observa cómo te ves y sientes, no te critiques, aleja cualquier pensamiento negativo y mírate directamente a los ojos. Di la siguiente frase: ¡*Hoy conseguirás lo que te propongas!*... ¿*No es maravilloso saberlo*? Este momento es el punto de partida para manejar todas y cada una de las situaciones que se presentarán cada día y que te ayudará a continuar en el camino de la *salud*, que te estará esperando por ti.

Esta semana cada vez que te dispongas a *comenzar el trabajo*, disfruta del camino y la vista de todo aquello que encuentres a tu paso, de cómo el Sol brilla y asciende poco a poco por el cielo a la vez que acaricia y pinta de color naranja las nubes, de cómo el aire te acaricia la cara y de cómo aun entre el bullicio de la mañana se logra escuchar el canto de las aves. Experimenta cómo la paz y el descanso fluye por tu cuerpo como un río poderoso de energía, tal como lo hace un arroyo en la montaña que atraviesa por un valle y que a medida que se acarician el agua, el aire y el sol con la tierra, ésta se hace más fértil, se llena de flores, de vegetación y aun cuando las raíces pudieran ser muy profundas, hasta ahí llega ese toque mágico que da vida a la vida.

Mediodía

Pocas veces, durante el día, puedes disfrutar de un verdadero descanso y tiempo para ti, por lo que la hora que dispones para comer será la más indicada para hacerlo, deja a un lado todas las ocupaciones o preocupaciones por un rato, porque a partir de esta semana empezarás a detenerte unos cuantos minutos para reafirmar la *fe* y la *confianza*, además de que servirá para retomar algunas de las actividades que has desarrollado y descubierto durante esta hermosa mañana. Tan sólo permíteme adelantarte que estas actividades te ayudarán a realizar una limpieza física y mental, lo que redituará en aprovechar o canalizar mejor toda la energía y poder transformarla maravillosamente en *salud* y *sanación* para tu cuerpo.

Dirígete hacia un lugar alejado del bullicio del ambiente, en el camino recuerda ***elevar el mejor de los pensamientos***, sigue la siguiente frase:

"Soy sano, pleno y completo".

Reflexiona estas palabras, cuando hayas llegado al lugar tranquilo, ahí mismo realizarás una combinación de la frase anterior con el siguiente ***ejercicio rítmico***: cierra los ojos, a la vez que dices la frase, anterior da unos pasos medianos hacia la derecha y mueve los brazos al mismo compás. Primer paso "Soy sano", segundo paso "Soy pleno", tercer paso "Soy completo". Después gira tu cuerpo 45° hacia la izquierda, avanzas y repites lo anterior, de nuevo gira tu cuerpo 45° hacia la izquierda, avanza y repite lo anterior. Continúa así al menos durante un minuto. Posiblemente no sepas cuántas veces has comenzado y terminado donde empezaste, lo cierto es que si llevaras entre tus manos algunos granos de arroz y a cada paso que dieras los fueras tirando te darías cuenta al abrir los ojos que formaste un triángulo.

Con la práctica de este ejercicio notarás muy pronto que parece que has danzado un "son" y que hasta puedes escuchar sus pequeñas pero intensas notas, suéltate, relájate, ahora percibe cómo te sientes menos tenso y hasta has logrado aclarar las ideas, porque acabas de realizar una danza armoniosa en la que te has cargado de *energía* y de *salud*.

Y si te detuviste para aclarar la mente, también puedes aquietarte un poco para disfrutar de **la sagrada comida**. Prepara lo más fresco y sano posible cada menú del día:

Menús para la comida
Un vaso de agua
Sopa de frijoles con cebolla
Medio bolillo de trigo integral
Alambres vegetarianos
Ensalada de col acompañada
Sorbete de uva
Limonada

Un vaso de agua
Sopa de arroz con espinacas
Croquetas de zanahoria
Fresas al yoghurt
Agua de chía

Un vaso de agua
Sopa de jitomate
Berenjenas guisadas
Gelatina de berros
Agua refrescante

Esta semana debes recordar agregar a cada platillo unas pizcas de *amor* y un puñado de *felicidad*, una vez que tienes todo preparado colócalo en la mesa con el mantel blanco, utiliza platos y vasos que alegren los platillos y halaguen la vista, por último decórala con un pequeño florero o una macetita que te recuerde que nuestra madre Tierra está cada día floreciendo aunque llegue el invierno, no olvides acercar el vaso con agua que mantendrás intacto.

Cada vez que te sientes, mantén las manos juntas muy cerca de la frente o chakra del tercer ojo, inclina la cabeza hacia el pecho, si lo prefieres cierra los ojos y comienza a respirar con tranquilidad, suavemente. Esta semana cuando estés acompañado por alguien a la mesa invítalo a participar con la siguiente reflexión, toma sus manos y pronuncia la siguiente frase:

"Estos alimentos son como un oasis de paz, de amor, de alegría y de salud, ahora hay suficiente para compartir".

Baja las manos, abre los ojos y dirige tu mirada hacia quienes estén cerca de ti y regálales una sonrisa, ahora sí *buen provecho*.

Y por si sientes un poco de hambre a media tarde, en esta semana puedes tomar primero el vaso de agua y después cualquiera de los siguientes refrigerios:

Una manzana
Cinco uvas
Un caramelo pequeño

Cada vez que hayas terminado y reposado los sagrados alimentos, dirígete hacia el baño para cepillarte los dientes, además puedes aprovechar para retocar el peinado y la vestimenta, así como realizar frente al espejo un *ejercicio fortificante*. Comienza a mirarte de manera general, respira con tranquilidad y pausadamente, aléjate un poco del espejo y regresa hacia él. No quites la mirada del mismo, mírate a los ojos, no te dejes inquietar, siente cómo los malos pensamientos se alejan y como la mente se dispone a abrirse tal como un abanico que se despliega poco a poco, una hoja tras otra hasta obtener la plenitud de su majestuosidad. Di y reflexiona la siguiente frase:

"Libero fácil y cómodamente todo aquello que no necesito para vivir" ahora *"Acojo nuevas ideas y conceptos, me preparo para aplicarlos, porque necesito progresar y llegar a la sanación".*

También este momento es muy especial; después de realizar el ejercicio anterior, siente cómo cada pensamiento en la mente es esa energía maravillosa que te permite pensar y actuar. Percibe y observa cómo la habilidad de levantar el brazo te hace vibrar el corazón, la mente y el cuerpo, porque a través de ellos transita la vida que viaja por el sistema nervioso del cuerpo, es *energía* que da *vida* pura a la acción, porque cada forma exterior no es sino una parte de la vida por medio de la cual cada individuo puede lograr saber lo que ha hecho a su ser desde el interior y que la mente le ha ayudado a transformar.

Esta semana cada vez que te dispongas a **continuar con el trabajo**, recuerda atreverte a ser, a sentir y a utilizar cada palabra, cada pensamiento, cada sentimiento, cada emoción de la misma manera en que se usa el auto, el ferrocarril, el barco, el avión y el cohete para viajar distancias rápidamente, el cuerpo representa por decirlo así al avión y la mente es la turbina que da un impulso a ese motor tan poderoso que hace que se deje todo lo que se comienza, un poco mejor de cómo se encontró. También recuerda no permitir que la prisa te genere estrés y angustia porque aún te sobra mucha vida. Aprende lo que nos enseña esta frase:

"Suerte de aquellos quienes de día están demasiado ocupados para preocuparse... y de noche... demasiado cansados para preocuparse".

Posiblemente durante la semana necesites desbloquear el estrés físico y emocional que te domina por la tarde, por lo cual será necesario que te sientes y aquietes un poco varias veces al día, deja y aleja todo pensamiento del exterior y procede a disfrutar de **interrumpir la rutina** por unos momentos, siéntate con la espalda recta, puedes hacerlo con la ayuda de una silla o bien realizarlo en el piso. Coloca las piernas cruzadas con las plantas de los pies hacia arriba, tal como se realizan en la yoga, cierra los ojos y deja caer la cabeza suavemente hacia delante, respira tranquila y armoniosamente. Empieza a mover la cabeza despacio de derecha a izquierda, dibujando un círculo. Continúa con el movimiento y muévela hacia un lado, regresa al centro y después al contrario. Has una breve pausa y repite el movimiento en dirección contraria.

Es breve, pero muy eficaz para despejar la mente y el cuerpo de tensiones. Después procede a *continuar con el trabajo* más relajado y sereno.

Y por si alguna tarde te encuentras ante un problema y no logras obtener una solución que te satisfaga, entonces recuerda la siguiente frase, que espero te produzca el mágico efecto que he obtenido personalmente cada vez que la aplico:

"No pierdas el tiempo intentando apreciar la música que no te gusta, es mejor invertir el tiempo en la música que te gusta".

Noche

Esta semana, cada vez que te encuentres disfrutando de la tranquilidad de la noche, ve directo a la habitación donde está el banco que usaste por la mañana, enciende una varita de incienso de sándalo, siéntate cómodamente y tómate *un pequeño descanso* muy cerca de la ventana por donde los rayos de la luz de la luna iluminen tu rostro, déjate acariciar, disfrútalo, siente la magia que te es transmitida desde lo alto, no sólo recibes energía de la luna sino también de todo lo que está allá arriba en el espacio. Mantén cerrados los ojos y abierta la mente; después procede a *elevar el mejor de los pensamientos* junto con la siguiente frase:

"Retengo la sabiduría y la alegría de este día y me permito que fluya por todo mi ser a cada latido de mi corazón a la vez que alimento mi cuerpo, mi mente y mi espíritu".

Reflexiona, dirige cada palabra hacia el corazón, una vez que estén ubicadas ahí, encamínalas hacia la garganta y escucha cómo ahora por la boca salen las palabras. *¿No es maravilloso?*, ya que como lo dice esta frase:

"Hay veces en la vida que esos momentos de satisfacción inexpresable sólo pueden ser articulados con el lenguaje inaudible del corazón".

Ahí mismo como estás, disponte a relajarte a través de un rato de **meditación**. Cierra los ojos, percibe el dulce toque de los rayos de la luna que continúan bañándote, concéntrate, relájate, suelta el cuerpo, la mente. Aleja cualquier pensamiento, ahora, imagina que posees raíces que corren desde la planta de los pies hasta la base de la columna, ahora imagina que éstas se dirigen hacia la tierra y se introducen en ella. Percibe tu cuerpo cimentado, cada vez es más liviano y seguro, ahora, toma energía de la tierra y dirígela hacia el cuerpo, extrae lo más que puedas de esta energía que es cada vez más nutritiva, es reparadora, es saludable, exhala todas las tensiones y toxinas. La energía comienza a recorrer el cuerpo y sale expulsada a la vez que te baña y envuelve con su magia. Tu cuerpo ha sido limpiado y purificado, abre los ojos y contempla la magnitud del universo que te rodea, siente cómo te has transformado en un dulce toque de luz nocturna.

Quiero decirte que a través de esta actividad podrías semejarte mucho a las luciérnagas, ya que cada vez que respires durante las noches de esta semana resplandecerás.

Cuando termines de maravillarte con estos *milagros* de la *vida*, ve hasta la cocina; recuerda, es tu lugar especial para convertir todas aquellas frutas y verduras rojas, amarillas y verdes en explosiones de color para el deleite físico y mental. Pues bien, prepara la **cena**, recuerda que durante el día tomas los suficientes elementos nutricionales por lo que a ésta hora se necesitan consumir alimentos más ligeros pero igualmente nutritivos, además de que estas ligeras cenas serán las mejores aliadas para no sufrir consecuencias como el terrible insomnio. Algo muy importante es que debes ingerirla por lo menos dos horas antes de irte a dormir.

Menús para la cena
Un vaso de agua
Ensalada americana
Media pieza de pan de trigo integral
Papas al horno
Una taza de té

Vaso de agua
Ensalada Melba
Budín de arroz
Café de cereales integrales

Un vaso de agua
Crema de betabel
Ejotes empanizados
Rosquilla
Limonada caliente

Esta semana recuerda este viejo dicho cada vez que te dispongas a preparar el menú de la cena: "*Siempre tengan color en su plato*", no olvides agregarles unas pizcas de *amor* y un puñado de *felicidad*. Una vez que tengas todo dispuesto, llévalo a la mesa que deberá estar cubierta por el mantel blanco, recuerda colocar de nuevo el florero o la plantita y el vaso de agua que permanecerá intacto, disponte a sentarte, descansa la espalda sobre el respaldo de la silla, mantén las manos juntas muy cerca de la frente o chakra del tercer ojo, inclina la cabeza hacia el pecho, si lo prefieres cierra los ojos y comienza a respirar con tranquilidad, suavemente. Y si otra vez tienes compañía invítalo también a participar con la siguiente reflexión, toma sus manos y pronuncia la siguiente frase:

"Todos los días ocurren milagros, tan sólo hoy he descubierto que al alimentarme espiritualmente y materialmente mi cuerpo y la gente que me rodea también se nutre".

Baja las manos, abre los ojos, *buen provecho*. Cada vez que hayas terminado con los alimentos, dirígete al baño, para cepillar los dientes y el cabello, después retira cada prenda del cuerpo, desnúdate, recuerda no volver a tocar la ropa que usaste durante el día, colócate una bata ligera de algodón, ahí mismo comienza con este *ejercicio fortificante* frente al espejo, mírate, ya no te atemorizas por lo que ves, ha sido difícil o fácil, lo cierto es que has llegado hasta aquí. Di la siguiente frase:

"Hoy he aprendido que hay tantas cosas que hacer en el mundo, que mañana es también un buen momento para continuar porque tengo mucho que dar, pero sobre todo la voluntad".

Esta semana recuerda que la voluntad que tienes para continuar, ha sido la que ha distinguido a los grandes hombres y mujeres de todos los tiempos, la voluntad impone una marca de nobleza para los descendientes, es la línea divisoria que separa a las personas que ayudan y las que sólo estorban, las que aligeran la carga ajena y las que la hacen más pesada, las que contribuyen y las que sólo consumen, porque ¡*cuánto mejor es tener la voluntad de dar más que recibir*!, esto es dar ánimos, es comunicar, es ser gentiles, es mostrar interés, es disipar los temores, es fomentar la confianza, es despertar la esperanza. *¿Acaso todo esto no es hermoso y mágico a la vez?*

Como te habrás dado cuenta, una de las mejores formas de fortalecer la voluntad radica en hacer, repetir y cumplir, ya que cada vez que esto sucede vamos haciendo pequeños abonos a nuestra vida.

Cuando puedas, esta semana procura *dar un paseo,* puedes aprovechar este tiempo para disfrutar del ambiente de tu casa, camina y respira tranquilamente, mueve los brazos al compás de los pies, admira tus cosas, tu hogar, tu lugar, recórrela así durante tres minutos. Sube y baja escalones si es que los hay dentro o fuera de la casa. Después camina arrastrando los pies como si no quisieras despegarte del piso, hazlo durante otros tres minutos. Intenta percibir que aún nuestra madre Tierra continúa comunicándote hermosos susurros de vida desde sus entrañas.

Cada tercera noche de esta semana disponte a preparar un *ritual nocturno*, ya que a través de éste proporcionarás un espacio muy especial que te permitirá agradecer por todo aquello que te ha dado la *vida*. Prepara de una mesa pequeña con un mantel blanco, coloca encima el vaso de agua que no utilizaste cuando te sentaste a la mesa para ingerir los alimentos de ese día, muy cerca coloca un frutero o cuenco con las frutas de la temporada, dedícale unos minutos para prepararlo de la manera como a ti te gustaría que te lo obsequiaran. Acerca estos cinco elementos: agua, tierra, fuego, aire y madera. No te preocupes por atrapar el aire, ya que es suficiente con el que circula por el lugar, respecto al fuego y la madera puedes utilizar una varita de incienso encendida, un vaso pequeño de agua y un puño de tierra también son suficientes. Una vez que tienes todo en la mesa, dispónlos a manera de triángulo, colócate frente a la mesa, siéntate o híncate, cierra los ojos, mentalmente invita a la *vida*, a la *naturaleza*, o por qué no quizá también a los ángeles para que juntos disfruten de este momento que tú especialmente les estás dedicando para agradecerles por todos aquellos *dones* que has recibido durante este *maravilloso día*.

Y para culminar con cada día de grandes logros, cuando te encuentres ya en tu habitación, también admírala, prepara la cama con sábanas y edredones de algodón, si utilizas almohada procura que ésta sea liviana y suave, descubre el lecho y recuéstate, abraza contra el pecho este libro y lee las siguientes frases como parte final a cada hermoso día:

* *A veces la vida te entregará algo mágico, disfrútalo.*
* *Cuando tengas algo que hacer, hazlo con gusto.*
* *Vive tu vida como una exclamación no como una explicación.*

Cierra los ojos, *felices sueños.*

Resumen de actividades

Mañana

· *Elevar el mejor de los pensamientos*
· *Respiración profunda*
· *Ejercicio revitalizante*
· *Viaje de reconocimiento de chakras*
· *Baño con agua*
· *Desayuno ***
· *Ejercicio fortificante*
· *Comenzar el trabajo*

Mediodía

· *Elevar el mejor de los pensamientos*
· *Ejercicio rítmico*
· *La sagrada comida **
· *Ejercicio fortificante*
· *Continuar con el trabajo*
· *Interrumpir la rutina*
· *Continuar con el trabajo*

Noche

· *Un pequeño descanso*
· *Elevar el mejor de los pensamientos*
· *Meditación*
· *Cena **
· *Ejercicio fortificante*
· *Dar un paseo*
· *Ritual nocturno*

* El recetario se encuentra al final del libro.

Segunda semana

Hoy, mañana y todos los días, continuarás *aprendiendo* a *disfrutar…* al sol como a la lluvia, a la pregunta como a la respuesta, a la quietud como al bullicio, a la cercanía como a la lejanía. Prosigue por el *camino* de este viaje de *Las siete semanas del milagro*, recuerda que debes mantenerte a cada paso con la *voluntad* y el *deseo* que posees para obtener la *salud* y la *vida*. Ahora, procura deleitarte con toda la energía, el esfuerzo y el cariño con que estas páginas y horas están conformando esta segunda semana de *salud* y *sanación*, aventúrate a utilizarlas y percibirlas a través del tacto de tus manos y de la vista de todo lo que está especialmente escrito para ti.

Mañana

Cuando tus ojos se abran a cada nuevo día, permite que poco a poco la luz te invada, ciérralos y ábrelos, disfruta cómo se escucha el ambiente, muévete un poco para despertar tu cuerpo, levántate de inmediato del lecho, posa primero sobre el suelo el pie derecho y después el izquierdo, colócate unas pantuflas, camina y dirígete a una ventana, siente cómo al posar cada pie sobre el suelo estás absorbiendo y cargándote de energía, abre las cortinas y mira al horizonte, disfruta el color que pinta el cielo a estas horas, ahí mismo disponte a *elevar el mejor de los pensamientos*, reflexiona y escúchate a la vez que lo pronuncias, aprende a *oírte*, porque la oportunidad a veces toca sin hacer mucho ruido. Di la siguiente frase:

"Hoy levantaré el vuelo como un ave, que tiene como alas su espíritu y como fuerza su fe, ahora me enfilo con rumbo hacia el horizonte para continuar iluminando mi corazón, mi cuerpo y mi mente, hoy también puedo mejorar mi vida".

Puedes tomar esta mágica frase y repetirla dos o tres veces o bien tan sólo puedes decir:
Gracias, quizá por la oportunidad de contemplar este bello amanecer.

Recuerda que las mejores intenciones y las actitudes positivas que tienes cada vez que elevas el mejor de los pensamientos, están preparándose para abrirse a tu paso las puertas del trabajo, del amor, de la felicidad y de la salud en este día, pero sobre todo recuerda que te estarás perfilando hacia la *sanación* física y mental.

Una vez que te has invadido de toda esta energía positiva, enciende una vela amarilla y una varita de incienso de mirra, después comienza a ***respirar profundamente***. Ya has disfrutado de la importancia que es *aprender* este tipo de respiración porque te ha proporcionado la tranquilidad mental y la salud física que hacía mucho tiempo no experimentabas, quizá por falta de tiempo o conocimiento de ésta; sin embargo, también esta semana es tiempo de darte la oportunidad de descubrir que realizarla es una maravillosa experiencia que te llena de felicidad interna, que ésta se irradiará a través de los poros y con cada exhalación que toca el exterior, apresúrate ha disfrutarla tan sólo porque descubrirás que el oxígeno que llevas hasta los pulmones es vital para la buena digestión y que sin ella no sería posible la existencia de "ese" genio inventivo que habita en tu mente. Vamos, cierra los ojos y relájate. Deja que poco a poco la respiración se torne más profunda, así, cada vez más suave y armoniosamente. Recuerda no esforzarte por introducir el aire. Percibe cómo te sientes a cada inhalación y exhalación. Continúa así durante un minuto más.

Recuerda no respirar así durante el día, ya que ha sido suficiente el oxígeno que has llevado para surtir a cada unos de tus sistemas y mantener cada glándula en perfecto estado de salud. Ya has empezado a utilizar conscientemente tu capacidad de *respirar* y *sanar*, has llegado más allá del camino que te guiará hasta que hayas logrado conseguir todos aquellos dones que no podrás comprar ni con todo el oro del mundo.

Cada vez que termines con lo anterior procede a realizar el ***ejercicio revitalizante*** de esta semana. Recuéstate sobre un tapete y estírate como si fueras un gato. Apoya el peso sobre la espalda y las piernas, da un giro lentamente hacia un lado y luego hacia el otro con todo el cuerpo, regresa a la parte inicial, ahora con los brazos y piernas sueltos y un poco separados del cuerpo, respira tranquilamente. Coloca las piernas semiflexionadas y los pies firmemente apoyados, así continúa inspirando y espirando. Mantén alineados los pies y las rodillas con la cadera, dirige las rodillas hacia el lado izquierdo y manténlos cinco segundos, retorna a la posición inicial y dirígete ahora hacia el lado derecho. Descansa unos segundos y repite el ejercicio al menos cuatro veces toda esta secuencia.

Muy pronto notarás que este tipo de ejercicio será otro hábito que te permite controlar desde muy temprano cada esfuerzo para transformarlo en *salud* y *energía*.

Levántate y siéntate frente a la ventana para que los rayos del sol continúen penetrando hasta tu interior como un dulce toque de la vida del exterior, tu cuerpo está listo para el ***viaje para abrir las alas***, recuerda llevar poco equipaje; sin embargo, no olvides llevar contigo la *fuerza*, la *voluntad*, el *cariño*, la *esperanza* y el *coraje* que se necesita para explorar "ese espacio" que habita la mente, el cuerpo y el espíritu, tan sólo recuerda cómo te sentiste la primera semana que viajaste, quizá fue motivante, enriquecedor y reparador porque has descubierto que dentro de ti posees una magia infinita que habías ignorado. Cierra los ojos, concéntrate, relájate, suelta el cuerpo, la mente, aleja cualquier pensamiento. Siente cómo la energía recorre cada parte de tu cuerpo. Ésta sube hasta el infinito, te baña y envuelve con su magia. Lleva las manos hacia el chakra del tercer ojo o frente, dirígelas al cielo, a medida que las elevas dibujas un halo, retórnalas unidas lentamente hacia el chakra del tercer ojo, llévalas hacia el chakra de la raíz, bájalas después hasta tocar cada muslo, eleva las manos con fuerza y bájalas al mismo ritmo, continúa con más fuerza, imagina que tus manos se han trasformado en "alas", cada vez son más fuertes, más plenas. Abre los ojos.

Estás listo para emprender el vuelo, has descubierto que posees "alas" capaces de elevarte hasta tocar con los dedos el sol, la luna, las estrellas, los planetas, los cometas.

Si te diste cuenta, desde que comenzaste a elevar el mejor de los pensamientos que viene al principio de estas páginas, levantaste el vuelo, cierto es que largo es el camino; sin embargo, recuerda que a cada momento estás descubriendo nuevas cosas y que para ello necesitas de un poco de tiempo, de *fortaleza*, de *voluntad*, de *concentración* y de *paciencia*, los mejores dones que puedes tener para lograr la *sanación*. No olvides realizar todos los días cada actividad seguida de principio a fin como si estuvieras tejiendo una gran cadena, una tras de otra, eslabón tras eslabón, hasta llegar a la culminación. ¿Acaso no ha sido maravillo que después de unos minutos te sientas mucho mejor?

Esta semana, cada vez que hayas renovado la mente, el espíritu y el cuerpo con todas las actividades anteriores, también es necesario que tomes *un baño con agua*, procura tener a la mano la ropa que te pondrás. Esta semana utiliza champú y jabón de manzanilla, así como aceite de sándalo y el guante de ixtle que ya usaste. Retírate toda la ropa y colócala en un lugar donde no vuelvas a tocarla. Acércate y abre la llave del agua, regula la temperatura y colócate de frente a la salida del agua. Disfruta de tocar primero con las puntas de los dedos y después con las palmas de las manos las gotas del agua que caen por la regadera, después introduce las puntas de los dedos de los pies, inclina un poco la pierna y permite que el agua toque las plantas de los mismos. Poco a poco ve introduciendo cada parte del cuerpo, báñate rápidamente como lo hiciste la semana anterior y no te seques, esta semana haz lo mismo que las aves, sacude del cuerpo las gotas de agua, y sólo unge el aceite en tus alas, después colócate la ropa interior.

Recuerda que la higiene diaria permite prevenir y curar enfermedades, tan sólo algunos de sus efectos son que actúa sobre el sistema circulatorio permitiendo que llegue más cantidad de sangre a todo el cuerpo, a la vez que nutre, limpia y protege la piel; actúa sobre el sistema nervioso por el aumento de la circulación sanguínea, lo que permite que el cuerpo sea más sensible ante el funcionamiento del organismo; actúa sobre el sistema digestivo disminuyendo o estimulando las secreciones y los movimientos intestinales, etcétera.

Cuando termines, camina y siente cómo percibes el suelo, cómo a cada paso que das estás trazando una gran línea, cómo tu cuerpo vibra de energía en su interior, cómo parece que has renacido por los efectos curativos del agua "La sangre de la naturaleza". Enfílate con rumbo a la habitación para vestirte, escoge ropa cómoda, quizá puedas agregar un toque de color que armonice alegremente y dé un toque de vida al traje que hayas escogido. Cuida que cada prenda que escojas refleje "ese" cambio que has comenzado. Mientras te vistes trata de percibir el canto de las aves que ya se enfilan hacia el horizonte.

Al igual que ellas dirígete hacia la cocina, detente en la puerta, observa, posees un refrigerador y una alacena que se han convertido desde la semana pasada en un botiquín de salud, atesora ahí las frutas, las verduras, las semillas, los lácteos, en fin, todo aquello que sea sano y de la temporada. Dispónte a preparar el *desayuno*, elige cualquiera de los menús y elabóralo con armonía y cariño, cuida que cada ingrediente sea lo más fresco y sano, porque lo que lleves a tu boca se transformará en *energía pura* que necesitarás para continuar sanando esta semana.

Menús para el desayuno

All-bran con leche descremada y medio plátano
Medio vaso de jugo toronja
Una rebanada de pan integral con miel de abeja
Té o café de soya
Un vaso de agua

Ensalada de pueblo
Una tortilla de maíz
Néctar de durazno
Panquesito integral relleno

Un vaso de agua
Jugo de zanahoria
Papas entomatadas
Bisquet de nata
Té de manzana

Agrega unas pizcas de *paz* y un puñado de *amor*, arregla la mesa con un mantel amarillo, acerca el vaso con agua que mantendrás intacto. Si posees jardín puedes traer algunas flores hasta la mesa, si no encontraste flores no te preocupes, abre las cortinas y quizá una ventana para que corra el aire y la vida. Acerca todos los alimentos a la mesa, para que no te levantes a cada rato o te distraigas, siéntate cómodamente en la silla, recarga la espalda sobre el respaldo, acerca las manos unidas al chakra del tercer ojo o frente, inclina la cabeza hacia el pecho, puedes cerrar los ojos, respira tranquilamente, no te esfuerces, pronuncia a cada mañana la siguiente frase, reflexiona y escúchate:
"Primero debo nutrir mi espíritu y después mi cuerpo".

Baja las manos, abre los ojos, buen provecho.

Esta semana, cuando sientas un poco de hambre a media mañana, puedes tomar un vaso de agua y después si te apetece el siguiente refrigerio:

Panquesito integral
Cuatro uvas verdes
Una guayaba

Ser conscientes de lo que preparas, comes y sientes, es prestar atención a los pensamientos, poco a poco te darás cuenta de que puedes *aprender* a prestar atención a cada acción y señal que envía el cuerpo cada vez que comes alimentos diferentes. Tan sólo al empezar a cambiar la dieta física el cuerpo comienza a desechar la acumulación de residuos, a medida que esto te ocurre, puedes sentirte mal durante algunos días; lo mismo sucede cuando tomas la decisión de cambiar los patrones mentales de tu pensamiento; sin embargo, una vez que hayas superado todas las molestias comenzarás verdaderamente a disfrutar de cómo estás fortaleciendo a cada bocado y a cada palabra tu *vida*. Permíteme adelantarte que dentro de una semana te sentirás mucho mejor que ahora, dormirás de manera más profunda por la noche y por la mañana te levantarás con más entusiasmo. En un mes tendrás mejor apariencia y no sólo tú lo notarás sino también todas aquellas personas que te rodeen.

Nada más terminado cada desayuno, disponte a cepillarte los dientes y ahí mismo frente al espejo realizar el ***ejercicio fortificante***, cierra los ojos, inhala y exhala tranquilamente, abre los ojos y mírate al espejo generalmente, di la siguiente frase:

¡Éste es uno de los mejores días de mi vida!

Recuerda que las ideas que estás pensando y las palabras que estás expresando están creando tu futuro.

Apresúrate a **comenzar el trabajo**, se *útil*, *cortés* y *amable* no sólo en el camino sino durante todo el resto del día, por ejemplo puedes ceder tu asiento a quien más falta le haga tan sólo porque tú tienes mucha energía, también recuerda que cada acción de este día sólo tú puedes lograr que se convierta en el mejor hábito, controla cada emoción y esfuerzo que hagas, para transformarlo en energía.

Recuerda en esta semana atreverte a ser, a sentir y a utilizar esta energía que has recabado con todas estas experiencias y cuando sientas el deseo de hacer algo constructivo, hazlo, empéñate y lógralo, así se caiga el mundo, porque como dice esta frase:

"El alma que se vista con fortaleza, voluntad, amor y salud, avanzará cada vez más, porque no encuentra obstrucción alguna".

Ya en tu trabajo, esta semana mantén a la vista un vaso de agua o bien un objeto que te recuerde que más allá de este lugar existen muchas cosas que están esperando por ti, puede ser una piedra, una hoja o flor de planta, una varita o ramita, una concha o estrella, una foto o una postal.

Mediodía

La salud es un estado primordial que nos afanamos por alcanzar constantemente, para ello existen muchos caminos que nos pueden ayudar a lograrlo, así entonces, una vez que estés tomando tu hora de comida será un buen momento para retomar el camino hacia la sanación y obtener todo el provecho posible de ese tiempo momentos porque tienes *voluntad, fortaleza, confianza* y *amor*.

Cada mediodía, aléjate del bullicio del ambiente, puedes respirar tranquilamente mientras te diriges a tu lugar reservado, cuando estés ahí comienza a *"elevar el mejor de los pensamientos"* sigue la siguiente frase: *"Yo poseo la fe, la esperanza y la habilidad"*.

Continúa repitiéndola al menos tres veces seguidas, puedes cerrar los ojos, reflexiona lo que acabas de decir, mantén la concentración, así tal como te encuentras puedes proseguir con el *ejercicio rítmico*, que será una mágica mezcla de lo anterior con este ejercicio. Continúa con los ojos cerrados, a la vez que dices la frase, da unos pasos medianos hacia el lado derecho, no olvides mover los brazos al compás del desplazamiento. Primer paso: yo poseo la fe. Segundo paso: yo poseo la esperanza. Tercer paso: yo poseo la habilidad. Gira tu cuerpo 45° hacia la izquierda, a la vez que avanzas repites lo anterior. Gira de nuevo tu cuerpo 45° hacia la izquierda, avanza y repite lo anterior. Continúa así al menos durante un minuto.

A cada repetición te darás cuenta de que logras formar triángulos cada vez más exactos, y si pudiste lograr mantenerte dentro del espacio en el que comenzaste el ejercicio, es buena señal de que estás estabilizando tu interior y lo estás manifestando hacia el exterior.

Un vaso de agua
Ensalada jugosa
Aguacate especial
Limonada

Un vaso de agua
Sopa de hongos
Milanesa de gluten de trigo
Agua de betabel y piña

Recuerda que esta semana debes de agregar algunas pizcas de *paz* y un puñado de *amor* a todo, cada vez que esté todo listo, acércate a ellos sin que te quemes, huele, llénate de esos aromas que enriquecen el olfato, maravillan la vista y mantiene la salud en buen estado.

Esta semana recuerda decorar la mesa tal como si estuvieras preparándote para comer con alguien muy importante, coloca el mantel amarillo, acerca algunas flores en un florero o bien una macetita con romero y albahaca, coloca los vasos, los platos, los cubiertos, las servilletas, la jarra del agua, puedes utilizar una mesita de servicio para llevar la ensaladera, la sopera y la olla del guisado al comedor. Siempre antes de sentarte a la mesa, ve a una habitación con espejo, arréglate rápidamente, como quien dice "date una manita de gato, no el gato completo" en el peinado y la vestimenta, pasa el cepillo por los zapatos; ahora sí, es el momento de sentarte a la mesa. Apresúrate, el invitado especial está por llegar, anda más rápido, se está acercando.

Bienvenido seas a este delicioso menú que has preparado en tu honor, sí, la persona importante eres tú. Siéntate y si esta semana existen más personas sentadas a la mesa, invítalas a participar de la siguiente reflexión, verás que muy pronto ellas también estarán igualmente motivadas a decir alguna frase que bendiga los alimentos que están a punto de disfrutar. Toma sus manos, inclina la cabeza hacia el pecho, respira tranquilamente, cierra los ojos, medita, di la frase:

"Me preparo para tomar la energía de estos frutos de la madre Tierra, ésta es emanada hacia todas direcciones y regresa a ellos multiplicada, ahora me preparo para invadir de ella mi corazón, mi mente, mi cuerpo, mi conciencia, todo mi ser".

Baja las manos, abre los ojos, toca con las puntas de los dedos de tu mano la servilleta, los tenedores, las orillas de cada plato que pusiste en tu lugar. Disfruta de sus formas, colores y la energía que posee cada uno; ellos son la unión entre la mano, la boca y el platillo, tan sólo porque entre ellos existe una mutua complicidad para hacerse acompañar cada vez que se puede. Sirve raciones medianas a cada plato. *Buen provecho*.

Esta semana, una vez terminados los sagrados alimentos, da "*gracias*" y si durante alguna tarde sientes un poco de hambre puedes tomar un vaso de agua y después un bocadillo:

Diez pasitas
Medio mango
Una galleta de nata

No olvides dirigirte al sanitario para cepillarte los dientes, de paso puedes volver a retocar el peinado y la vestimenta y realizar el *ejercicio fortificante* de esta semana, frente al espejo, mírate completo. Aléjate un poco, ahora regresa hacia él. No quites la mirada del mismo. Mírate a ti, siente la plenitud de la majestuosidad de tu mente cada vez más limpia y pura. Di la siguiente frase:

"Mis pensamientos son libres, el pasado ya pasó, ahora al liberar el pasado, entra en mi mente y en mi cuerpo lo nuevo, lo fresco, permito que fluya la vida por mí".

Poco a poco te darás cuenta de que esta actividad es una necesidad muy importante no sólo para ti sino también para todas las personas que te rodean, date cuenta de que cada vez que hablas y te escuchas estás más presente y dispuesto a colaborar.

Vamos, apresúrate a *continuar con el trabajo*, aprende a oír las necesidades del entorno y las de tu interior, detente, aquiétate un rato y escucha esas palabras, esas señales que van y vienen a cada segundo, a cada minuto, a cada hora y en cada día, júntalos con la majestuosidad que se te está dando a cada palabra, a cada frase, a cada párrafo y logra llegar hasta estas pequeñas experiencias en donde comprobarás lo que dice esta bella frase:

"Encuentras la alegría de ser y vivir en el instante en que aprendes a apreciar y disfrutar, no sólo lo que la vida te ofrece sino también lo que tú mismo puedes brindarle".

Esta semana, para desbloquear un poco el estrés y el cansancio de la vista y del sistema nervioso, puedes disfrutar por unos minutos de este mágico momento que es *interrumpir la rutina*; ubícate frente a una mesa alta en donde puedas recargar los brazos y cubrir con las palmas de las manos la cara.

Mantén la columna recta, no te agaches, apoya los codos sobre la mesa. Frota suave pero firmemente las palmas de las manos hasta que las sientas calientes, tapa los ojos con las manos a manera de cazuelita, junta o entrelaza los dedos y manténlos cerca de la frente. Respira tranquilamente. Mantente así un minuto. Eso es todo, breve pero eficaz para descansar y relajar la mente, el cuerpo y el espíritu. Procede a *continuar con el trabajo*.

También quizá durante algún día te encuentres cansado o ante la tentación de dejar todo esto por falta de tiempo; sin embargo, permíteme recordarte esta frase:

"Resistir las tentaciones te da fortaleza".

Recuerda a cada instante que cuando anhelas hacer lo correcto y tomas el camino apropiado, debes resistir para vencer las tentaciones que se encuentran acosando a un lado del camino, cuando las venzas, ahí mismo fortalecerás tu interior además de que experimentarás una estabilidad más profunda, lo que te permitirá que cada vez seas más capaz de enfrentar cualquier adversidad sin vacilar. ¡*Confianza*!, *sólo se pierde la batalla cuando se cree perdida*".

Noche

Esta semana, si sales a trabajar, durante el regreso a casa puedes disfrutar del placer de **admirar el camino**, sintoniza alguna estación de radio con música alegre, observa y disfruta cuántas cosas salen a tu paso, quizá sean anuncios espectaculares, autos, camiones, edificios, casas, calles, cruceros, avenidas, árboles, plantas, hombres, mujeres, jóvenes, niños, todo parece correr demasiado rápido, une esto al ritmo de la música y disfrútalo, tararea, mueve los hombros y la cabeza al ritmo, o bien mueve los dedos de las manos, camina al mismo ritmo, baja y sube, vamos, inténtalo, que no te dé pena. Si realizas esta actividad encontrarás que es una experiencia divertida y agradable que te logra relajar y te acorta el camino, aunque hayas encontrado mucho tráfico.

De la anterior experiencia, puedes recordar lo que esta excelente frase te puede enseñar:

"*No siempre existe lo mismo en la música; hay veces que elementos de diferente origen se unen, coinciden o hasta chocan y el resultado es tan sólo la creación de una nueva posibilidad para disfrutar de la vida*".

Sonríele a la vida, cada noche cuando estés frente a la puerta de tu hogar, si quieres cierra los ojos, toca con las yemas de los dedos la cerradura, las llaves, acerca toda la mano, abre los ojos, introduce las llaves, acerca un oído, escucha ahí también las pequeñas notas de música al dar vuelta a la llave, entra.

Disfruta de cada noche, acerca un sillón hasta una ventana por donde los rayos de la luz y el viento penetren, y cuando sientas un poco cansados los pies, acerca una toalla, las pantuflas y un balde con agua, más o menos caliente, agrega un poco de sal y vinagre, siéntate cómodamente, quítate el calzado y las medias, introduce los pies durante unos ocho minutos, a la vez mira el cielo y las estrellas, quizá se asome entre las nubes el rostro de la Luna que desea observarte, cierra los ojos, imagina que tus alas te llevan por la noche, viaja por encima de los montes coronados por la nieve, observa cómo aún resplandecen bajo los rayos de la Luna, continúa el camino hasta que logres rozar con los dedos las dunas del desierto, elévate alto y regresa a casa. Saca los pies del agua y sécalos perfectamente, colócate las pantuflas.

Justo como estás descansando puedes elevar el mejor de los pensamientos junto con la siguiente frase:

"Gracias por todas esas pequeñas cosas que la vida me enseña, por la promesa de un nuevo amanecer, por el sol y las estrellas, por la confianza que me inspira a ser mejor".

Reflexiónala y escucha estas palabras que inundan de *fe*, *amor* y *esperanza*, el cuerpo, la mente y el espíritu.

Puedes continuar con las enseñanzas que otorga la **meditación**. Cierra los ojos, no respires hondo, sólo manténte tranquilo y relajado. Coloca las manos sobre el corazón, siente el palpitar y esa fuerza vital que vibra dentro de ti. Disfrútala porque es el motor más potente que posee la fuerza suficiente para continuar dándote la vida. Imagina cómo ahora, tu corazón se transforma poco a poco en una luz resplandeciente, cada vez salen más chispas, has llegado hasta el centro que domina la fuerza y el poder del amor y la pasión. Abre los ojos.

Fue muy corta la actividad, sin embargo, te puedo asegurar que te enriquecerá cada día que la realices, porque la meditación transforma todas nuestras reacciones en sensaciones tanto internas como externas.

Una vez que termines de maravillarte, prepara la **cena**, recuerda que debes comerla lo más liviana, fresca y sana posible. Ingiérela al menos dos horas antes de irte a dormir. Prepara los menús de los primeros tres días de esta semana y después puedes variarlos para que encuentres que la armonía de tu interior también está en el buen gusto de la cena que has elegido.

Menús para la cena

Un vaso de agua
Ensalada de lechuga con dátil
Filete de pescado asado con hierbas
Una pera
Té de limón

Un vaso de agua
Ensalada de flor
Hamburguesa de tofu
Refresco de menta

Un vaso de agua
Ensalada adelgazante
Aderezo de yohgurt
Naranjada

Da ese sazón especial a cada día y agrégale a cada plato las pizcas de *paz* y el puñado de *amor* a cada guiso. Esta semana debes prepararte para cenar muy íntimamente, arréglate el peinado y la vestimenta. Prepara la mesa con el mantel amarillo y un sobre mantel blanco, acerca el vaso de agua que mantendrás intacto, un candelero con una vela amarilla y una blanca, utiliza platos y servilletas blancas, acomoda los cubiertos, acerca los platillos al centro de la mesa, ve al jardín y corta una pequeña flor, colócala a un lado de tu plato, enciende las velas.

Siéntate cómodamente, mantén las manos juntas y acércalas esta semana al corazón, inclina la cabeza hacia el pecho, cierra los ojos y comienza a respirar armoniosamente, relájate. Di la siguiente frase: *"La vida me es grata y con amor le ofrezco estos alimentos y bebidas nutritivas, ahora ella las retorna multiplicadas para limpiar y sanar mi cuerpo".*

Baja las manos, abre los ojos, *buen provecho.* Cada noche cuando termines de cenar, da *"gracias"*, apaga con la flor las velas del candelero, no soples sobre la flama, levanta todo o bien lava los trastes, sécalos y acomódalos; recuerda, aunque sea noche eres *útil*. Después de cenar, dirígete hacia tu habitación, retira cada prenda del cuerpo y ponte una bata, no toques la ropa que te quitaste, justo ahí colócate frente al espejo para realizar el *ejercicio fortificante*, admírate, respira tranquilamente. Observa cómo te ves y sientes. Di la siguiente frase:

"Hoy he descubierto que poseo innumerables dones, alegrías y amistades, cosas sencillas y bellas, de entre todas ellas la que más agradezco es la salud".

Cuando termines, no olvides cepillarte los dientes. Cuántas cosas puedes lograr durante un día, a cada momento se presentan diferentes situaciones de alegría o de tristeza; sin embargo, todas forman parte de la magia de la vida.

El enorme tesoro que posees como hogar es tu cuerpo y tu casa, durante cada mañana recorres los caminos de tu cuerpo, en ellos descubres que posees una especie de red energética de canales interconectados con cada órgano, esta semana será el turno para *dar un paseo* por las entrañas de tu hogar. Ve hacia la entrada o sala de la casa. Ahí comienza a mover los brazos hacia enfrente y hacia atrás. Dobla un pie hacia atrás y tómalo con la mano y recárgalo hacia los glúteos, ahora el otro pie. Gira la parte superior del cuerpo sin mover los pies. Percibe el ambiente, admira todo el alrededor. Camina, entra a una habitación, enciende la luz. Da tres pasos hacia delante y regresa, mueve los brazos al mismo compás de los pies. Observa y ve a otra habitación y repite lo mismo hasta que termines de recorrer e iluminar tu hogar. Descansa un poco y cuando estés más tranquilo regresa a la habitación que más te guste y detente a sentir el calor que la ha invadido, ahora apaga la luz y retorna hasta donde comenzaste. A medida que practiques este paseo te darás cuenta de que estás iluminando tu hogar de la misma manera como lo hiciste en tu cuerpo la semana pasada en el "viaje de reconocimiento de chakras".

Antes de ir a dormir, cada tercer noche no olvides realizar el *ritual nocturno*, recuerda que a través de éste, obtendrás un espacio especial para agradecer por todo aquello que has experimentado el día de hoy. Esta semana sustituye la fruta que usaste en el ritual de la semana pasada por trigo, puede ser un amarre con lazos o bien colocarlo en un florero, no olvides los cinco elementos: agua, tierra, fuego, aire y madera; esta semana mentalmente invita a la *vida*, a la *naturaleza*, a probar de este regalo que te recuerda las bendiciones de la vida.

Cuando termine tu día y te encuentres frente a la cama, admírala, da un vistazo por toda la habitación, deja a un lado de la cama este libro, descubre el lecho e introdúcete, recuéstate sobre la almohada, piensa en la segunda semana de este libro, tu más fiel y saludable compañero. Tócalo con las yemas de los dedos, no olvides leer cada noche las frases que finalizan y anteceden a un nuevo día.

* *Que al perseguir los sueños que te has propuesto cuentes con la fuerza necesaria para enfrentar todos los retos con los que te encuentres.*
* *Cada nuevo despertar te ofrece la oportunidad de dar tu mejor esfuerzo.*
* *¡Vive intensamente cada instante de tu vida!*

Cada noche duerme con la ilusión de que despertarás con el calor de un nuevo día en tu ventana, *buenas noches.*

Resumen de actividades

Mañana

· **Elevar el mejor de los pensamientos**
· **Respiración profunda**
· **Ejercicio revitalizante**
· **Viaje para abrir las alas**
· **Baño con agua**
· **Desayuno ***
· **Ejercicio fortificante**
· **Comenzar el trabajo**

Mediodía

· **Elevar el mejor de los pensamientos**
· **Ejercicio rítmico**
· **La sagrada comida ***
· **Ejercicio fortificante**
· **Continuar con el trabajo**

· *Interrumpir la rutina*
· *Continuar con el trabajo*

Noche
· *Admirar el camino*
· *Un pequeño descanso*
· *Elevar el mejor de los pensamientos*
· *Meditación*
· *Cena* *
· *Ejercicio fortificante*
· *Dar un paseo*
· *Ritual nocturno*
* *El recetario se encuentra al final del libro*

Tercera semana

Hoy, mañana y todos los días de esta tercera semana observarás como allá a lo lejos, muy cerca del Sol, también está la *vida*, tal vez no puedas alcanzarla, pero sí puedes maravillarte de cómo su energía y belleza infinita se trasforma en rayos de luz que logran traspasar a los árboles más altos e iluminar tu rostro. Y así como la luz viaja millones de kilómetros, prosigue por el camino de este viaje de *Las siete semanas del milagro*, avanza, atrévete, aprovecha, da sentido y dirección a esta semana, a través de cada paso, de cada actividad, de cada palabra porque ¡hoy! ... también es una buena oportunidad para descubrir que existen muchas cosas nuevas que puedes lograr por ti, pero sobre todo obtener la *sanación*.

Mañana

Abre los ojos, despierta, el calor y la luz de cada nuevo día están esperando por ti, levántate, posa el pie derecho primero y después el izquierdo sobre el piso, camina y abre la ventana, todas las mañanas deja que esos sonidos y colores del ambiente te refresquen, regresa a donde dejaste la noche anterior este libro y abrázalo contra ti.

Esta semana enciende la radio en una estación con música instrumental, disfruta cada nota que viaja desde la radio hasta tus oídos, disponte a realizar cada actividad que lleves a cabo acompañado de hermosas arias, sonatas y valses; con el paso de los días te darás cuenta de que has aprendido a disfrutar e identificar la música de Chapin, Mozart, Beethoven y muchos otros más, grandes maestros que lograron expresar cada uno de sus sentimientos a través de mágicas notas. Enciende una vela naranja y una varita de incienso de rosas.

Procura también darte un tiempo para tender la cama a diario, sacude cada sábana, edredón y almohada para impregnarlos del aire que corre por la habitación. Cada que la termines, *eleva el mejor de los pensamientos* y recuerda que la actitud positiva de cada acto de esta semana será la que también hable por ti aunque no emitas ninguna palabra. Vamos, di a diario esta frase:

"Hoy expresaré la alegría de vivir y de amar para disfrutar con salud cada momento de mi vida".

Es una frase corta pero muy importante para tomar el *valor* y la *fortaleza* suficiente que necesitarás para salir triunfante a cada momento.

Cuando estás enfermo corres en busca de ayuda, sin embargo tal como lo dice un antiguo proverbio chino: "*tratar una enfermedad es como construir una fuente cuando estás sediento*", esto significa que tratar una enfermedad es útil, pero lo mejor es prepararse antes de que aparezca y para esto te servirá esta tercera semana de sanación; así, cada vez que termines de pensar y reflexionar positivamente, debes continuar con la *fortaleza* y el *valor* para proceder a **respirar profundamente**, ya sabes cómo hacerlo, guíate con la razón y el corazón. Recuerda esta frase cada vez que quieras iniciar esta actividad: "*Respirar para vivir mejor*".

Por si tienes alguna duda sobre las maravillas de estos breves momentos de sanación, te diré que los beneficios de éstos influyen directamente sobre la energía que necesitarás a diario, y por si aún no te habías dado cuenta es una parte importante que se realiza como antecedente para obtener esos milagros de *sanación* que ya posees. *Sanación*, sí, ya existe en ti, esta tercera semana *eres sano*, *eres pleno*.

Mantén tu vista y la mente abierta cada día, porque justo como estás debes realizar el **ejercicio revitalizante** a fin de obtener una posición correcta y controlada, realízalo los siete días seguidos para que trabajes de manera más notable la musculatura tal como se hace en la gimnasia. Coloca en línea los pies y la cadera, los pies deben estar alineados y paralelos. Contrae los glúteos y el estómago, endereza la zona lumbar. Permanece cinco segundos así y descansa. Gira sin mover el resto del cuerpo, los brazos hacia delante y luego hacia atrás. En la misma posición inicial con los brazos levantados, flexiona las rodillas hacia el cuerpo, no te esfuerces demasiado, realiza este paso durante treinta segundos. En la misma posición inicial, a la vez que flexionas las rodillas, levanta el brazo derecho. Baja el brazo derecho y ahora levanta el brazo izquierdo a la vez que te impulsas para regresar a la posición inicial, repite al menos dos veces con cada brazo. Coloca las manos en la cadera, de nuevo flexiona las rodillas, mantén pegadas las plantas de los pies al suelo, continúa hasta tocar los talones de los pies con los glúteos. Levántate y descansa los brazos. Continúa al menos con una serie de cinco.

Cada día que realices estos ejercicios recuerda que a cada momento eres más *ágil* y *fuerte*, porque te has detenido a trabajar combinando las necesidades del interior y del exterior, si no lo crees tan sólo obsérvate en el espejo o cuando estés bañándote, cómo aquella grasa ha disminuido poco a poco y a través de ejercicios físicos y mentales se han convertido en músculo, ya posees elasticidad y flexibilidad, ya has bajado esos kilos de más que tanto te atormentaban, que estás despierto mentalmente y que te desempeñas en el área mucho mejor que antes.

¿Qué tal te sientes después de que revitalizas y fortaleces tu cuerpo?; tal como estás disponte a realizar el *viaje para reunir energía*, recuerda que el equipaje que debes llevar es un corazón puro y una mente abierta. Parece algo difícil de empacar en una maleta pero recuerda que ya eres *fuerte, sano, capaz, ligero* y *perceptivo*, basta esto para prepararte a explorar los caminos que te esperan a fin de hacer pequeños abonos diarios que se depositarán en tu cuenta de salud, ya que como dice esta frase:

"Los huesos deben ser sólidos y el espíritu puro y tranquilo para obtener la sanación y una vida larga".

Puedes realizarlo esta vez con los ojos abiertos o cerrados; sin embargo, practícala como más te sientas cómodo. Siéntate, mantén la espalda erguida, acerca las palmas de las manos al regazo de tus piernas, baja o inclina la cabeza, dirige la mirada hacia delante. Respira tranquila y armoniosamente, mas no profundo. Deja que la mente se serene. Imagina que ves un cielo azul invadido de nubes blancas. Concéntrate en el ombligo, dirige toda la energía hacia el ombligo, siente esa sensación o pequeño calor que irradia el ombligo, visualiza poco a poco el círculo de energía que se ha formado alrededor. Dirige las manos hacia esta zona y comienza a dibujar en sentido de las manecillas del reloj, aléjalas por lo menos unos tres centímetros, da dos vueltas más y ve disminuyendo a un centímetro. Coloca el centro de la palma de la mano derecha sobre el ombligo para sellar la energía que has reunido, mantente un minuto más y abre los ojos.

Cuántas cosas puedes realizar desde que la luz de cada nuevo día ilumina tu mente y tu corazón, quizá pasen veinte minutos o un poco más, pero te aseguro que este tiempo para meditar puede ayudarte sobre todo para producir los verdaderos milagros que harán que sientas *tranquilidad*, *firmeza*, *alerta* y *relajación* hasta que vuelvas a retomar este viaje al otro día.

Esta semana detente y reflexiona cómo cada actividad es el principio y el antecedente a otra, continúas tejiendo esa gran cadena que necesita siempre del mismo *entusiasmo*, de la misma *fortaleza*, del mismo *coraje*, del mismo *empeño*, del mismo *amor*, de la misma pasión y de la misma *entrega* para continuar.

Después de realizar grandes proezas a esta hora de la mañana, qué te parece tomar **un baño con agua para depurar**, para refrescarte y continuar revitalizándote, aunque también lograrás limpiar además de tu cuerpo algún problema que tengas. Vamos, libérate a diario a través de este baño. Ya sabes cómo prepararte, utiliza esta semana jabón y champú de sábila, así como aceite de lavanda. Cuando estés debajo del chorro del agua medita sobre algún huésped que aflige tu vida, puedes ser una enfermedad o un problema, llévalo hacia la zona del ombligo, ahí concentraste mucha energía que te puede ser muy útil. Ve mentalmente hasta donde se ubica ese huésped y enciérralo con las manos y deja que sea arrastrado y llevado como viajero que es a través del agua y la espuma que cae. Cada vez es más limpia y pura no sólo el agua, sino también tu mente, tu cuerpo y tu espíritu. Enjuaga el guante de ixtle. Recuerda colocarlo cerca de una ventana para que los rayos del sol y la luna continúen cargándolo de energía. Cierra la llave del agua y toma una escoba, barre el agua que quedó en el piso hasta la coladera y dile "adiós" a la enfermedad y a los problemas. No seques las gotas de agua que quedaron sobre el cuerpo, aplícate el aceite, percibe el contacto de la piel de la mano con las gotas de agua que descienden por tu cuerpo ahora más sano y más puro. Colócate una bata de baño.

Recuerda a cada día que "*las penas y las enfermedades son sólo pasajeras en esta vida*", y cada vez que sientas que tienes un nuevo huésped permítele sólo que anticipe su llegada y recuérdale que tienes reservado hasta el más mínimo rincón de tu cuerpo para albergar la salud, porque ella tiene reservaciones especiales desde que comenzaste este grandioso viaje de **Las siete semanas del milagro**, anda más aprisa, para cada día de esta semana escoge la ropa que más te guste y quede de acuerdo al lugar donde trabajarás, recuerda darle un toque conservador pero audaz y atrevido en la ropa interior, esto te dará una especie de complicidad y alegría especial que irradiarás, ten la seguridad que nadie sabrá por qué te ves tan bien esta semana. ¡*Vamos, atrévete a intentarlo*!

Si durante alguna tarde de esta semana sientes intranquilidad y preocupación puedes repetir la ducha de depuración que practicas cada mañana, aunque esta vez será a través de una visualización de la misma. Sólo déjate llevar por lo que sientes cada mañana con esta experiencia.

Cada mañana de esta semana prepara el ***desayuno*** con los siguientes menús, recuerda variar y buscar nuevas y posibles combinaciones o bien puedes preparar lo que más te gusto desayunar en las semanas anteriores.

Menús para el desayuno

Un vaso de jugo de zanahoria
Un plato con fruta de una o dos clases
Media taza de avena con yohgurt
Una rebanada de pan integral

Un vaso de jugo de naranja
Hot cakes de soya
Mermelada de rosas
Una rebanada de melón

Un vaso de jugo de manzana
Tortilla de patatas
Frijoles machacados
Una rebanada de pan integral

Disfruta de todo, no pierdas la oportunidad de hacer de cada uno tu platillo favorito para comenzar con *energía* y con *salud* cada mañana de esta tercera semana de sanación. Y cada vez que termines de preparar el desayuno, agrégale unas pizcas de *ternura* y un puñado de *tranquilidad* que harán de cada bocado el mejor de los halagos a tu paladar y a tu salud.

Esta semana usarás un mantel naranja y un

sobremantel floreado, recuerda acercar el vaso de agua que mantendrás intacto, y todo lo necesario para desayunar, abre las ventanas, deja que corra el aire y la vida, corta algunas flores del jardín y colócalas en un cuenco con agua, siéntate, cierra los ojos, junta las manos muy cerca del estómago y di a cada mañana antes de probar bocado la siguiente frase:

"Así como las flores se bañan y se nutren con el rocío de la mañana, así necesito de estos alimentos para que el agua que contienen corra por mi cuerpo como la lluvia que limpia y renueva las calles".

Posiblemente a media mañana tengas un poco de hambre por lo cual primero debes tomar un vaso de agua y después puedes escoger uno de los siguientes bocadillos.

Una galleta de jengibre
Un dulce de ajonjolí
Una gelatina

De éstos toma sólo uno y saboréalo porque mañana posiblemente se te antoje más el que le sigue de estos tres.

Nada más terminado el último bocado del desayuno, cepíllate los dientes. Ahí mismo frente al espejo, si quieres realiza el *ejercicio fortificante*. Cierra los ojos, respira tranquilamente, no te esfuerces, abre los ojos. Observa lo que ven realmente tus ojos. Esboza una gran sonrisa y di la siguiente frase:

"¡Hoy daré lo mejor de mí!, lo mejor que tengo, lo mejor de mi aprendizaje, lo mejor de mi enseñanza, lo mejor de mi vida propia... porque lo mejor me será devuelto ¡Hoy!"

No olvides repetirlo a diario, así que cada vez que estés listo, toma el camino, esta semana lleva contigo un walkman y un casete de música de Mozart, y disponte a **comenzar con el trabajo**, recuerda que *"El trabajo es la misión que mantiene las arrugas fuera del espíritu y ayuda a mantenerse útil"*. Prepárate a disfrutar del reto de tomar decisiones y del contacto con la gente que te rodea. Vamos, apresúrate, la vida ya comenzó, a trabajar más allá de donde sale el sol.

Esta semana, cuando estés realizando tu trabajo puedes aprovechar dejar en el escritorio de alguna persona una pequeña flor que alegre cada inicio de día o bien puedes aprovechar unos minutos antes de salir de casa para colocar en el almuerzo de tu hijo o pareja un dulce o un pequeño mensaje que exprese lo mucho que significan para ti.

Estoy seguro que te sentirás feliz esta semana y es porque la felicidad que ya posees no se basa en el poder o las posesiones sino en todo lo que poco a poco has ido sembrando en ti mismo, han sido semanas intensas pero que te han influido provechosamente para *amar* y *respetar* la vida, los dos principales pilares de la sanación.

Mediodía

El cuerpo, como lo conocemos, es el pináculo de la vida, cada una de sus cincuenta trillones de células viven en una relación de armonía mutua y tú eres como ellas, debes mantenerte saludable para poder relacionarte, quizás al principio tropieces en la búsqueda de la excelencia, en el anhelo de crear, en el deseo de renovar, en la inquietud de cambiar, quizá aciertes una vez y te equivoques mucho, no importa, hay que continuar porque todo es parte de un sola cosa, lograr mantener con plenitud este cuerpo que está a punto de lograr otra cima de la vida: la *salud*.

Dicen que "*Si el trabajo es sagrado, entonces el descanso es una bendición*", justo a esta hora y especialmente en esta semana puedes dejar que tus pensamientos agradezcan la oportunidad de disfrutar de los dos, aprovecha para acompañar todas aquellas ideas que vengan a tu mente al ***elevar el mejor de los pensamientos***, para esto recuerda que debes alejarte del bullicio del ambiente, lleva contigo este libro, el walkman y el casete que preparaste por la mañana, respira tranquilamente mientras te diriges al lugar donde logras expresar esas palabras inaudibles que repite tu corazón. Vamos, esta semana reflexionarás a la vez que dices la siguiente frase:

"Gracias a la vida por toda la sabiduría y la energía, pero sobre todo gracias a la salud con que he podido realizar cada actividad que me reserva cada día".

La gratitud es un símbolo que engrandece tu vida cada vez que la demuestras; durante esta semana será sin lugar a dudas la mejor presentación, aun cuando abordes un autobús repleto de gente desconocida. Así, en esa actitud de agradecimiento y de tranquilidad, y con las mismas palabras que usaste en el pensamiento anterior deberás realizar el *ejercicio rítmico*, enciende el walkman y pon la música del casete. Cierra los ojos, disfruta de las notas que escuchas. Recuerda que debes mover los brazos a la vez que avanzas hacia la derecha y dices en el primer paso: gracias a la sabiduría. Segundo paso: gracias a la energía. Tercer paso: gracias a la salud. Gira tu cuerpo 45° hacia la izquierda a la vez que avanzas y repites las frases anteriores. Gira de nuevo tu cuerpo 45° hacia la izquierda, avanza y repite lo anterior. Repite al menos dos veces más, no olvides disfrutar del ritmo de la música. Apaga la música y abre los ojos.

Gracias a la sabiduría, la energía y la salud

Observa este tiempo cómo aumenta un nuevo triángulo en el sendero que caminas cada semana, durante ésta debes repetirlo para que reafirmes la creación de un triángulo más pero como la continuación de un trazo para ir más lejos. Ten por seguro que cada día te llevará a estabilizar tu camino, tu sendero, puedo decirte que no sólo tú lo notarás interiormente sino también las personas que te rodean, quienes verán que cada día eres mejor que el anterior, tan sólo porque ahora posees aún más el *poder* y el *deber* de trazar nuevos caminos para ser el principal gobernante de tu *salud*, de tu *vida* y de tu *mundo*.

Cuando sientas hambre acércate al botiquín de la salud y prepara alguno de los siguientes menús.

Menús para la comida
Un vaso de agua
Sopa de chícharos
Ensalada variedad
Refresco de menta
Helado de fruta y vainilla

Un vaso de agua
Crema de champiñones
Bistec gratinado
Agua de guanábana
Flan de dos leches

Un vaso de agua
Sopa de poro
Carne de soya con acelgas

Ensalada aperitiva
Agua de jamaica especial
Dulce de papaya

Para todas las comidas de esta semana cubre la mesa con el mantel naranja y un sobremantel floreado o alegra la mesa con otros colores, renueva, inventa cada día, coloca el vaso de agua que mantendrás intacto junto a la planta o florero que tengas sobre la mesa, coloca los cubiertos, el plato de tu lugar y el vaso de agua en forma de triángulo, a cada uno agrégale unas pizcas de *ternura* y un puñado de *tranquilidad*.

Esta semana también debes arreglarte para sentarte a la mesa, retoca un poco el peinado y regálate una sonrisa cuando pases frente a un espejo, porque como dice esta frase: *"Sonreír no cuesta mucho y vale más"*.

Cuando estés listo, siéntate a la mesa, recarga la espalda sobre el respaldo de la silla, recuerda, si existe alguien más sentado a la mesa invítalo a acompañarte sólo con la frase que dirás más adelante. Junta los dedos índices y pulgares de las manos para forma un triángulo, entrelaza los dedos restantes uno con otro, cierra los ojos, respira tranquilamente, medita antes de decir la frase que repetirás a diario:

"La luz y el aire que bañan y acarician estos alimentos son parte de la gracia que día a día maravilla y nutre mi cuerpo, mi mente y mi espíritu".

Prepárate para disfrutar del menú que escojas para cada día y continúa *sanando* tu cuerpo, buen provecho.

Es posible que esta semana por la tarde sientas un poco de hambre, así que no olvides tomar primero el vaso de agua y después puedes probar algunos de los siguientes bocadillos.

Una trufa de avena
Un jamoncillo con fruta
Dos orejones

Terminado cada plato de salud del día, disponte a cepillarte los dientes, de nuevo arregla la vestimenta y el calzado, mírate al espejo, ahí mismo realiza el ***ejercicio fortificante***, obsérvate, relájate, respira tranquilamente. Pon en blanco la mente, trata de mirar la energía que reservaste en el ombligo esta mañana. Lleva las manos hacia esta zona. Toma un poco de energía con las manos y llévalas hasta la cabeza. Suelta la energía, te has bañado con la magia que encierra tu ser. Abre los ojos y di la siguiente frase:

"Tomo cada decisión basándome en el principio de que cada experiencia es perfecta para mi desarrollo, ahora estoy en paz porque sé que puedo lograr aún más".

La diferencia que percibes a cada paso, cada día, es sólo porque ahora vives distinto pero mejor. Vamos diariamente retomando el camino para ***continuar con el trabajo***, recuerda que durante lo que sobra de cada día de trabajo, debes sentarte y aquietarte, aunque bien puedes aprovechar para re-

flexionar de cómo cada vez las palabras y las actividades se acortan, es cierto que las cosas se repiten
pero se da paso a la brevedad con el hábito, pero
también a la oportunidad de conservar la misma *fortaleza* y *voluntad* que tienes para *sanar*.

Esta semana, cuando te sientas abrumado por el
estrés y por los problemas de cada día, acuérdate de
interrumpir la rutina, acerca un oído a una caracola
de mar, si no tienes alguna puedes hacerlo con las
manos formando una cápsula, cierra los ojos, escucha su sonido que evoca pequeños suspiros del mar,
increíble pero aunque estés muy lejos puedes estar
tan cerca, intenta imaginar cada vez que puedas ese
mar que está encerrado, intenta ir más allá hasta que
percibas la arena y el calor que baña tu cuerpo. Abre
los ojos y procede a **continuar con el trabajo**.

Noche

Una vez que termina la jornada, las aves abren sus
alas y se disponen a retornar a casa; asómate a la
ventana, algunas de ellas se vislumbran en el cielo.
Observa cómo a pesar de que viajan grandes distancias no siempre viajan a la misma altura, buscan las
corrientes que favorezcan su viaje, se detienen y pro-
siguen; así, esta semana tal como ellas, cada vez que
te enfiles hacia el horizonte para retornar a casa disponte a **tomar diferentes rutas**, deja que ese espíritu
aventurero triunfe sobre el sentido común y te lleve
a conocer nuevos lugares. Camina, sube y baja pero
lleva siempre la mente abierta para que descubras

que hasta un músico callejero es un tesoro, detente a escuchar y si puedes deposita una moneda en su sombrero; porque como lo dice esta frase "*En ocasiones pasamos de largo las pequeñas alegrías de la vida por estar buscando mayores*". Una vez que retomes el camino prosigue tu rumbo y cuando estés en el tráfico o en la fila del autobús, de cuando en cuando invita a la persona que está detrás o a un lado de ti a pasar adelante, date cuenta cómo hasta el estrés que te contagia el ambiente se disuelve con actitudes como ésta.

"*Hogar, dulce hogar*", cuántas veces has recordado esta pequeña frase cada vez que se vislumbra tu hogar, cada vez que puedas detente un poco antes de llegar a ella, *toma un pequeño descanso*, si puedes siéntate en la banqueta y obsérvala, quizá a ella también le haga falta comenzar a cuidarla, mírala, ella está esperando ahí para renovarse junto contigo. Intenta esta actividad a diario y descubre que hay detalles que no habías notado.

Cada vez que entres a casa *eleva el mejor de los pensamientos*, si deseas puedes cerrar los ojos y decir la siguiente frase que sigue junto con todo aquello que tu corazón y tu mente guarden.

"*Aceptar y vencer los retos que encuentro a mi paso me enseña a crecer*".

También esta semana ve directo a donde tus seres queridos estén y otórgales un gran abrazo, unas palmaditas en la espalda y por qué no hasta un gran beso, sé amoroso, porque nada hace mejor a la *salud* que un rato en contacto directo con lo que más amas.

Y si tienes jardín en casa, después de estar en familia, ve directo al centro de él; si no, ubícate cerca de una ventana por donde puedas percibir cómo danzan las flores y plantas al compás del aire. Coloca un tapete y siéntate, para que disfrutes de un rato de *meditación*, bajo los rayos de la Luna. Coloca las manos hacia atrás de ti y recárgate. Dirige el rostro hacia el cielo y cierra los ojos, no respires hondo, sólo mantente tranquilo y relajado. Abre los ojos, observa las estrellas, escoge alguna, siente cómo se interconecta esa estrella y la energía que aún guardas en tu interior.

Si tienes la fortuna de que esté lloviendo uno de los días de esta semana practica esta actividad debajo de un tejado, para que disfrutes de la brisa y de la complicidad que existe entre el agua, el aire, las nubes, los grillos, las ranas y la tierra que seguramente al igual que tú estarán preparados para dar fruto a más armonías de la vida.

Cada vez que termines con este breve contacto con la naturaleza, continúa con la elaboración la *cena* en donde esta semana también prepararás festivales de color y sabor, coge almendras, champiñones, jitomates, pimientos y todos aquellos frutos que otorgan equilibrio a la *vida*. Recuerda cenar al menos dos horas antes de irte a dormir.

Menús para la cena
Un vaso con agua
Papas al horno
Brócoli al vapor
Palitos de queso
Té de manzana

Un vaso de agua
Manzana morada
Pastel de verduras
Tarta de orejones de albaricoque
Café de cereales integrales

Un vaso de agua
Ensalada bicolor
Aguacate relleno
Flan de naranja
Limonada caliente

Tres opciones que te mantienen en la línea de tu salud, prepáralas lo más frescas y saludables, no olvides variar e intercambia estos menús, date la oportunidad de disfrutar primero de ellos y después saca provecho a la inventiva que posees, para que logres hacer de cada una de tus cenas una invitación saludable a continuar en el camino de la *sanación*.

Cada vez que tengas todo preparado, a cada platillo del menú que vayas a cenar agrégale unas pizcas de *ternura* y un puñado de *tranquilidad*. No olvides colocar en la mesa para la cena el mantel naranja y un sobremantel blanco, el vaso de agua que mantendrás intacto, un frutero, los cubiertos, los platos, los vasos, las servilletas, en fin, todo lo necesario para no distraerse.

Ve siempre a tu habitación para acomodarte la vestimenta, el peinado y ponerte unas gotas de perfume, regresa al comedor y siéntate cómodamente, cierra los ojos e invita mentalmente a la estrella y a la Luna que observaste a iluminar esta cena con su luz y magia. Coloca las manos sobre el vaso de agua que mantienes intacto y di la siguiente frase:

"Estos alimentos son parte de la armonía, de la paz y de la alegría de este maravilloso universo que observo, que respiro, que toco, que oigo y que ahora me dispongo a saborear".

Baja las manos, buen provecho.

Después de cenar, reposa un rato los alimentos y dirígete a cepillarte los dientes, escoge para esta semana una pijama fresca y tersa, procede a quitarte la ropa que lleves, déjala en el cesto para que no la vuelvas a tocar. Continúa con un *ejercicio fortificante* para que equilibres toda aquella energía que llevas dentro de ti, recuerda cada día abrir la mente con las llaves del corazón toda vez que te dispongas a realizar esta actividad. Colócate frente al espejo, mírate. Relájate, respira tranquilamente. Sonríe y alégrate porque a diario has aprendido y enseñado los grandes privilegios que trae cada nuevo día: el amor, la paz y la esperanza. Cierra los ojos y di la siguiente frase:

"Cada vez me elevo por encima de mis limitaciones, porque he logrado encontrarme".

Cada tercer noche no olvides realizar el *ritual nocturno*, recuerda que es un pequeño obsequio para engrandecer y agradecer por todos aquellos dones que te ha dado la vida. Esta semana sustituye el trigo por arroz, no olvides los cinco elementos: agua, tierra, fuego, aire y madera. Recoge todo lo que colocaste la vez anterior en la mesa y no olvides colocar todo en forma de triángulo. Mentalmente invita a la *vida*, a la *naturaleza*, a tomar esta ofrenda que humildemente has preparado.

El universo se renueva con el Sol del día, su poder se manifiesta en el aire, en la lluvia, en las nubes, en la belleza de las flores, en el trinar de los pájaros; a veces pareciera que descansa, sin embargo no es así ni cuando llega la noche, su actividad continúa en las estrellas que se precipitan a tachar el cielo de luz, en los animales nocturnos que salen de sus madrigueras, en la marea que sube y las olas que se agitan atraídas por la Luna, en las luciérnagas que resurgen iluminando la oscuridad, en fin, la vida es hermosa, es plena y maravillosa, podrías continuar acompañando a la noche sin embargo, al igual que como hace una oruga que se cobija debajo de una hoja al caer la tarde, es el momento de que tú descanses. Abre el lecho y recuéstate, abraza contra ti este libro y lee cada noche las siguientes frases como parte final de cada hermoso día de esta semana:

* *No regales frases que no llenen tu corazón.*
* *Gracias a la vida que me ha dado tanto también hoy.*
* *Ten valor para las grandes penas y paciencia para las pequeñas, cuando hayas terminado tu tarea diaria ve a dormir en paz.*

Cierra los ojos, dulces sueños.

Resumen de actividades

Mañana
· **Elevar el mejor de los pensamientos**
· **Respiración profunda**
· **Ejercicio revitalizante**
· **Viaje para reunir energía**
· **Baño con agua para depurar**
· **Desayuno ***
· **Ejercicio fortificante**
· **Comenzar el trabajo**

Medio día
· **Elevar el mejor de los pensamientos**
· **Ejercicio rítmico**
· **La sagrada comida ***
· **Ejercicio fortificante**
· **Continuar con el trabajo**
· **Interrumpir la rutina**
· **Continuar con el trabajo**

Noche
· **Tomar diferentes rutas**
· **Un pequeño descanso**
· **Elevar el mejor de los pensamientos**
· **Meditación**
· **Cena ***
· **Ejercicio fortificante**
· **Ritual nocturno**

* El recetario se encuentra al final del libro

Cuarta semana

Hoy, mañana y todos los días de esta cuarta semana, serás tan feliz como tú lo decidas. Has llegado hasta la mitad del camino, has descubierto que te renuevas a cada instante, ya sea escribiendo un pequeño mensaje o meditando, ahora encuentras que hasta una pequeña piedra saltarina o una hoja seca que baila con el viento trazan pequeños caminos que te guían hacia la serenidad y la paz. El camino aún es largo, sin embargo, actúa con el mismo entusiasmo con que has llegado hasta esta semana, tu vida está enfilándose hacia una verdadera *sanación*, mantente firme y constante en la batalla y logra salir siempre triunfante, no importan los fracasos, ni las tristezas, tú tienes la oportunidad en las manos, en el corazón y en la mente.

Mañana

La alegría del trinar de las aves y el canto de los gallos, anuncian cada mañana que el día está a punto de traer nuevas oportunidades; vamos, esta semana levántate lo más temprano que puedas para regalarte todos los amaneceres, observa cómo las nubes se pintan de color, si tienes un poco de suerte puede que hasta la Luna y algunas de las estrellas esta semana te hagan compañía, a ellas también les gusta disfrutar el ser parte de los hermosos paisajes matinales. Aproxímate a la ventana para que los primeros rayos de luz iluminen tu regazo. Ahí justo, como estás, ya sea sentado o parado, piensa en lo hermoso que es anticiparte a este encuentro, eleva el mejor de los pensamientos.

"El universo que me rodea es maravilloso, es pleno y es infinito, así tal como el me enseña, cada mañana seré pleno, seré infinito, pero sobre todo seré feliz".

O recuerda a diario antes de comenzar cualquier actividad *"La mitad de la alegría del logro, radica en la anticipación"*.

Enciende cada día de esta semana una vela roja y una varita de incienso de jazmín, así tal como estás comienza a respirar, hasta esta semana el buen hábito de la respiración ya lo has aprendido y reafirmado a través de la **respiración profunda**, así entonces, continúa cada día obsequiándote la mejor bendición natural que recibes de la vida. Inhala y exhala suavemente, ya sabes cómo lograr el bienestar de la *sanación*.

Cuando termines, prepárate para a realizar el ***ejercicio revitalizante***, esta semana ejercitarás la columna, con lo que la mantendrás elástica, tonificada y saludable, aunque también te diré que ayudarás mucho a los músculos y órganos abdominales. Párate erguido con la columna, la cabeza y la cadera alineadas. Respira tranquila y armoniosamente, separa los pies y extiende los brazos en forma horizontal. Inclina el cuerpo hacia el lado derecho hasta que logres tocar con la palma de la mano el tobillo de la pierna derecha. Mantén en alto el brazo izquierdo y las rodillas sin flexionar, regresa a la posición inicial y repítelo al contrario. Continúa una vez más.

Cada día aumenta de dos en dos hasta que al terminar la semana completes una serie de catorce repeticiones.

Memoriza el siguiente diagrama.

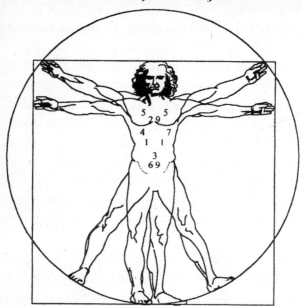

1 **Los riñones: purificar el miedo**
Se dirige la energía del ombligo
hasta la zona, la energía de ahí
es negra y fría.

2 **El corazón: purificar la ansiedad**
Se dirige la energía del ombligo
hasta la zona, la energía de ahí
es roja y caliente.

3 **Ombligo:** limpiar miedo y ansiedad

4 **El hígado: purificar la ira**
Se dirige la energía del ombligo
hasta la zona, la energía de ahí
es verde y caliente.

5 **Los pulmones: purificar el dolor**
Se dirige la energía del ombligo
hasta la zona, la energía de ahí
es blanca y fría.

6 Ombligo: limpiar la ira y el dolor

7 **El bazo: purificar la aflicción**
Se dirige la energía del ombligo
hasta la zona, la energía de ahí
es amarilla y suave.

8 Ombligo: limpiar la aflicción

9 **Armonizar la energía**
Se dirige la energía del ombligo
hasta el corazón, utilizando la
mente para armonizar y purificar.

Cada que se retorna hacia el ombligo
se da alegría y amor a esta zona.
La energía se armoniza y purifica
con cada repetición.

Cuando estés familiarizado, siéntate cómodamente, relájate, serena la mente. Concéntrate en la zona del ombligo, percibe la energía que mantienes ahí desde el día que practicaste por primera vez el "viaje para reunir energía", ve a un solo punto del diagrama cada día e ilumina esa parte con *alegría*, *amor*, *paz* y *tranquilidad*, trae hacia el ombligo lo malo que hayas percibido y expúlsalo hacia fuera. Abre los ojos. A través de este viaje has purificado una parte que necesitaba de una pequeña limpieza.

Y después de obtener los beneficios anteriores, dirígete hacia el baño, date a diario un ***cepillado en la piel***. Utiliza un cepillo de cerdas naturales y que sea exclusivo para ti. Remójalo dos días antes de usarlo. Algunos de los beneficios de esta terapia es que actúa como estimulante sobre la piel limpiándola y renovándola, le proporciona elasticidad y lubricación suficiente para rejuvenecer cada vez que se practica. Vamos, retírate toda la ropa. Inicia el cepillado con movimientos semicirculares de abajo hacia arriba y de derecha a izquierda desde los pies hasta la cintura, de la cabeza hacia abajo con los mismos movimientos. La presión que apliques sobre el cuerpo deberá depender del grado de sensibilidad de la zona a cepillar. Por ejemplo, la cara es muy sensible por lo que deberá ser muy cuidadoso pero no ligero. La duración será de diez minutos.

¡Listo! después de cada cepillado, date un ***baño con esponja***, esta semana utiliza el champú y el jabón de romero y el aceite de menta. Y tal como los bebés, prepara una tina en la que puedas estar sentado, déjala a un lado de la regadera y llénala con agua tibia suficiente para cubrir medio cuerpo. Después abre la llave de la regadera y entra al chorro del agua, moja y lava la cabeza tal como ya lo has hecho las semanas anteriores. Cierra la llave, pasa por todo el cuerpo la esponja empapada con jabón de romero, dando un ligero masaje, recuerda que ya te tallaste anteriormente. Agrega unas gotas del aceite a la tina del agua y sumérgete para enjuagarte, percibe cómo el agua parece más cálida a medida que te introduces. Sal de la tina y observa cómo las gotas de agua no resbalan tan fácilmente. Acércate a la ventana del baño y observa cómo se refracta la luz sobre una gota. Ahora obsérvate, parece que tienes diamantes que cubren cada parte de tu cuerpo.

Vístete lo más pronto posible y deja que el sentido del buen gusto que has desarrollado te lleve hacia la ropa que refleje lo mejor que eres y serás todos estos días de la cuarta semana del milagro.

Prepara el *desayuno,* elige cualquiera de los siguientes menús y deja que la presentación de la mesa sea un éxito esta vez, ya que elegirás los manteles que más te gusten, no olvides que debe armoniza cada plato y elemento que acompañe cada desayuno, has notar la diferencia.

Menús para el desayuno
Un vaso de agua
Naranjas y fresas rebanadas
Waffle de mijo con miel
Té con jugo de naranja

Un vaso de agua
Huevos al ajillo
Medio panqué de trigo y manzana
Atole de masa con chocolate vegetariano

Un vaso de agua
Huevos veracruzanos
Un vaso de jugo de toronja
Un pan de harina integral
Té de salvado

Esta semana, al medio día, también es posible tomar un pequeño bocado, así que puedes elegir uno, pero no olvides tomar primero el vaso de agua.

Una manzana
Dos nueces
Una granada

Esta semana usarás un mantel blanco y cuando todo esté listo no olvides agregar las pizcas de *serenidad*, siéntate, acerca las manos hacia el chakra del tercer ojo, cierra los ojos y di la siguiente frase: *"Agradezco a la madre naturaleza que me proporciona estos alimentos y agradezco a los alimentos que me den su vida para sanarme"*.

Cuando termines de disfrutar del desayuno, no olvides decir *gracias*, ve inmediatamente a cepillarte los dientes y ahí mismo realiza el ***ejercicio fortificante***, frente al espejo cierra los ojos, respira tranquilamente sin que te esfuerces, ábrelos y di la siguiente frase:

"Las grandes batallas se ganan con fortaleza y valor, continuaré ganando grandes batallas, la felicidad me invade de júbilo y éste fluye por todo mi ser a cada latido, a cada suspiro, a cada palabra".

Así, una vez que tu cuerpo y tu alma se encuentren cada día más fortalecidas, emprende la ruta que te lleve a **comenzar el trabajo.**

Durante todas las mañanas de esta semana no olvides ser *feliz* y regocijar tu corazón cada vez que puedas con una mejor actitud, tal como lo dice esta frase: *"Corazón alegre, buen remedio"*, aprende lo mucho que esta pequeña frase te ofrece. Y por si encuentras en tu camino un autobús escolar, sonríe y diles adiós a los niños.

Mediodía

¿Para que trabajamos si no es para hacernos la vida menos difícil unos a otros? Así que una vez que llegue el mediodía todos los días de esta semana, detente para **meditar y reflexionar** sobre cada cosa que has logrado. Y así tal como te encuentras tranquilo y satisfecho **eleva el mejor de los pensamientos**, sigue esta frase:

"Trabajar y descansar, he aquí la clave para ganar el suelo y el cielo".

Bien, imagino que estarás listo para el *ejercicio rítmico*. Ubícate en el lugar donde ya has trazado la figura del día anterior. Cierra los ojos y relájate, recuerda que a la vez que dices la frase, darás unos pasos medianos hacia el lado derecho. Primer paso: yo poseo el éxito. Segundo paso: yo poseo la fortaleza. Tercer paso: yo poseo la voluntad. Gira tu cuerpo 45° hacia la izquierda a la vez que avanzas y repites lo anterior. Gira de nuevo tu cuerpo 45° hacia la izquierda, avanza y repite lo anterior. Continúa así al menos durante un minuto. Abre los ojos, has formado y anexado un nuevo triángulo.

Yo poseo el éxito, la fortaleza y la voluntad

Lávate las manos y procede a preparar *la sagrada comida*, prueba primero estos tres menús y después combínalos para los días restantes.

Menús para la comida
Un vaso de agua
Ensalada de col fresca
Agua de pitahaya
Carne de gluten en salsa de nuez
Una tortilla de harina integral
Copa de primavera

Un vaso de agua
Agua mixta
Crema especial de elote
Crepas de huitlacoche
Dulce de manzana con yoghurt

Un vaso de agua
Caldo de quintoniles y hongos
Pechugas con queso parmesano
Ensalada variada
Dulce de mamey

¿Por cual menú te decidiste? Todos son deliciosos, nutritivos y fáciles de hacer. Varía e inventa nuevas combinaciones, pero recuerda que la selección dependerá de tu gusto y el de tu familia.

Y cuando sientas un poco de hambre por la tarde, toma sólo un vaso de agua, durante toda esta semana.

Cada vez que tengas todo preparado agrega unas pizcas de *serenidad*. Por qué no intentas comer toda esta semana "al fresco", es informal, pero el solo hecho de cambiar puede hacer notar que hasta la terraza o el jardín son un excelente lugar para disfrutar del Sol, el aire, del vuelo de las aves, en fin, de todo aquello que te recuerda la vida.

El mantel que escojas para comer deberá ser blanco y la vajilla de preferencia de cristal, usarás como adorno de mesa la jarra de agua que prepares y por qué no, puedes adornar los vasos con rodajas de limón y naranja, utiliza una cesta con panes cortados en cubitos o triángulos, en fin busca algunos libros de cocina e inspírate para preparar la mesa. Acerca el vaso de agua que mantendrás intacto, recuerda que antes de sentarte a la mesa debes retocar al menos el peinado para que te sientas renovado.

Bien, una vez que estés listo, siéntate a la mesa, esta semana si te acompaña algún amigo, toma su mano y sólo dile "*buen provecho*". Guarda para ti la siguiente frase que dirás cada vez que te sientes a comer:

"Un destello de luz ha hecho posible que la Tierra se nutra de maravillosos frutos de ingeniosidad y me permite tomarlos para hacer de la comida una ocasión de gran placer al paladar, a la vista y a mi salud".

Y recuerda cada vez que termines de comer, "*La buena nutrición es para el bienestar, no para la enfermedad*".

Después de comer no olvides cepillarte los dientes y el cabello, ahí justo frente al espejo aprovecha el momento para realizar el *ejercicio fortificante*, mírate de frente. Nota los cambios que existen no sólo en tu mente y en tu cuerpo. Cada vez eres diferente pero mejor. Di la siguiente frase: "*Este cuerpo y esta mente que poseo conocen su verdadera identidad porque estoy en paz*".

Pon también especial atención a todos los sentimientos y pensamientos que salen de ti.

Aún falta mucho camino por recorrer, quisieras descansar, sin embargo, es necesario *continuar con el trabajo*, ya durante la tarde, no te preocupes por nada, es cierto que los problemas demandan más atención, sin embargo, cada vez que en esta semana te sientas cansado y agotado, recuerda que "*Jamás un pesimista descubrió los secretos que encierran las estrellas o navegó hasta descubrir una tierra inexplorada o abrió un nuevo horizonte al espíritu humano*". Y por si se presenta el estrés porque parece que es imposible terminar el trabajo, sólo recuerda lo que esta frase te enseña "*Todo es posible hasta que se pruebe que es imposible, aun así lo imposible puede serlo sólo por un momento*"; vamos, recuérdala y no olvides que por imposible que parezca has tomado las riendas de tu vida hasta esta semana y no puedes dejar que la fortaleza y la voluntad que has conservado se pierdan en el intento.

Esta semana una vez por la tarde también disfruta de *interrumpir la rutina* sobre todo para alejar el estrés. Párate en línea recta, separa un poco los pies.

Deja libres los brazos y las manos, gira muy suavemente la cabeza. Eleva los brazos y empuja hacia delante la mitad del cuerpo hasta tocar con las puntas de los dedos el piso. Regresa a la posición inicial y repítela tres veces.

También puedes aprovechar y realizar una breve llamada telefónica a un amigo, porque hasta ellos con su risa pueden relajarte. Y cada vez que termines de relajarte procede a *continuar con el trabajo* con más entusiasmo y más serenidad.

Noche

El sol ya se ha ocultado, el día termina y le da paso a la noche, admira durante esta semana cómo hasta las nubes viajan grandes distancias para llegar a su destino, ellas se dejan arrastrar y mecer con el viento, así como hacen ellas, retorna a la tranquilidad de tu hogar, no importan las distancias que haya que recorrer para llegar a donde te espera tu hogar, tu vida y tu familia.

Cada noche, si tienes la oportunidad, pasa muy cerca de un lago o un lugar que contenga agua, detente un instante a *admirar la belleza* que es atrapar en un espacio los destellos de la luna y el andar de las nubes viajeras.

Retoma el camino y dirígete a casa, cuando entres aprovecha para *dar un paseo* dentro de casa o en el jardín, respira tranquilamente y camina tres minutos, después si puedes corre una distancia de veinte metros, detente y observa tu sombra que se dibuja, esa sombra que brinca, salta y baila al compás de tus pasos y se esconde de la luz porque es inquieta; recuéstate, mira las estrellas y la luna que parece retozar un rato entre las nubes y prosigue, piensa en lo mejor que tienes cada día, da rienda suelta a cada palabra a cada pensamiento, a cada sentimiento, trata de ir más lejos y procede a *elevar el mejor de los pensamientos*, acompañado de la siguiente frase:

"Hay muchísimas formas de hacer y de ver las cosas, las mejores las he descubierto hoy".

Algunos días de la semana cuando estés cerca de una persona de tu familia, aproxímate y habla con ella, regálale una sonrisa e invítala a recordar viejos tiempos a través del álbum de fotografías que poseas, cuando terminen abrázala porque como dice esta frase: *"Recordar es volver a vivir".*

Esta semana, cuando tengas hambre invita a quien quieras a compartir la preparación de la *cena*, escoge frutos frescos y muéstrale como lavar o cortar cada ingrediente, quizás ella te enseñe algún tip para preparar su mejor receta.

Menús para la cena
Un vaso de agua
Lasagna sin carne
Ensalada griega
Pay de limón y queso
Té de almendras

Un vaso de agua
Pizza de bacalao vegetariano
Espaguetis con nata
Refresco de frambuesa

Un vaso de agua
Ensalada jugosa
Calabacitas al horno
Budín de tapioca y fresas
Ponche de guayabas

Cada noche, el menú que elijas deberás colocarlo en platones grandes, decora la mesa con el mantel blanco y algunas velas azules, abre las ventanas y deja que el aire invada todos los rincones de tu casa. Antes de sentarte a la mesa cada noche mira el cielo estrellado, cierra los ojos y respira el aire que transita. Regresa a la mesa y siéntate cómodamente, invita a quien te acompañe esta semana a que diga unas palabras y ayúdale a reforzar la intención que tiene con esta frase:

"Compartir esta cena es motivo de alegría y de júbilo porque en ella se encuentra la vida y la salud".

Buen provecho.

Esta semana cada vez que termines de cenar, puedes continuar la velada ahí sentado, admira a tu pareja, a tus hijos, a tus hermanos, si no están presentes acércate a los retratos familiares, obsérvalos, ellos son tu familia, ellos necesitan de ti y tú de ellos, porque como dice esta hermosa frase:

"Dios nos hizo una familia, nos necesitamos uno al otro, nos amamos, nos perdonamos, nos protegemos, trabajamos juntos... oramos juntos y juntos crecemos".

Cuando termines no olvides a lavarte los dientes y ponte la pijama, lava tu cara y da una cepillada al cabello. Ahí mismo o cuando estés frente a un espejo realiza el *ejercicio fortificante*, mírate a los ojos, respira tranquilamente, di la siguiente frase:

"Buscar la luz en el rincón, me ha hecho despertar a la vida".

También recuerda esta frase:

"Andar por la vida sin ver un nuevo anhelo envejece y se hace una mala costumbre, vivir sin iniciar algo, sin leer una nueva página, enmohece".

Cada tercer día de la semana no olvides realizar el *ritual nocturno* para agradecer por todas aquellas cosas que has visto, que has sentido, que has tocado, que has escuchado, en sí agradece por esta maravillosa vida. Sustituye el arroz por vino y no olvides los otros cinco elementos: agua, tierra, fuego, aire y madera.

Cuando el Sol se precipita a iluminar el otro lado del mundo, y aparece la noche, las flores que tan majestuosamente presenciaron la luz del día se preparan para protegerse del frío de la noche. Cada una cierra sus pétalos y forma hermosos botones, así al igual que ella cada día de esta semana cuando sientas que al luz de la noche invita a tus ojos a cerrarse, entra la lecho e imagina que la sábana y el edredón son los pétalos de una gran flor, pero no olvides que antes de cerrar los ojos cada noche debes leer estas frases:

* *¡Felicidad! No es más que buena salud y mala memoria.*
* *Cada día tienes mucho de qué estar feliz.*
* *Trata a todos como quieras que te traten.*
  Buenas noches.

Resumen de actividades

Mañana

· **Elevar el mejor de los pensamientos**
· **Respiración profunda**
· **Ejercicio revitalizante**
· **Viaje para sanar**
· **Cepillado de la piel**
· **Baño de esponja**
· **Desayuno ***
· **Ejercicio fortificante**
· **Comenzar el trabajo**

Medio día

· **Meditar y reflexionar**
· **Elevar el mejor de los pensamientos**
· **Ejercicio rítmico**
· **La sagrada comida ***
· **Ejercicio fortificante**
· **Continuar con el trabajo**

· *Interrumpir la rutina*
· *Continuar con el trabajo*

Noche
· *Admirar la belleza*
· *Dar un paseo*
· *Elevar el mejor de los pensamientos*
· *Cena* *
· *Ejercicio fortificante*
· *Ritual nocturno*

* El recetario se encuentra al final del libro

Quinta semana

Hoy, mañana y todos los días de esta semana prosigue la jornada con el compromiso de encontrar y seguir el sendero que te llevará a sanar. Vamos, encamínate con el mismo *valor* y *fortaleza* para el día en que los sueños se cumplan.

Mañana

Podrías llorar las penas de los días pasados; sin embargo, el alba que verás cada que te levantes durante esta semana te traerá nuevas esperanzas, despiertas con su magia, levántate lo más rápido que puedas y estírate a un lado y hacia otro, arrópate un poco, enciende una vela violeta y una varita de incienso de lavanda y dirígete al jardín o maceta que se encuentre fuera de casa, observa las gotas del rocío de la mañana que renueva las plantas y la tierra, su poder es tan infinito que gracias a la complicidad de la noche logran surgir poco a poco nuevos frutos, acerca las yemas de los dedos a una hoja que tenga gotas de agua, tócala y maravíllate porque en ella está el principio de la *vida*, así como estés, dispónte a *elevar el mejor de los pensamientos* acompañado de esta frase: *"Milenarias enseñanzas de salud se me otorgan cada día para lograr la armonía en mi cuerpo y espíritu"*.

Si estás en el jardín comienza a *respirar profundo*, si no, siéntate dentro de casa en un sillón cómodo y observa el cielo, comienza a respirar tranquilamente, cierra lo ojos, cuenta hasta seis y exhala hasta seis, repite varias veces hasta que sientas esa paz interior que ya has experimentado las semanas anteriores.

Cuando entras en contacto con la naturaleza aprendes que existe la *armonía*, que se expresa en sus diferentes formas como en la tierra, en el aire, en el agua, en la luz, o en las semillas que germinan, en los nuevos frutos y las flores, en los pequeños insectos y aves que cumplen su tarea de polinizar los campos y de dar origen a tesoros tan grandes como la miel y el polen. Regocíjate si esta semana observas una abeja o un hermoso colibrí.

Brinca cada mañana de alegría pero antes estírate un poco hacia un lado y hacia otro, mueve las piernas, sube y baja tu cuerpo haciendo sentadillas, listo brinca, salta como lo hacen las ranas a un lado y a otro, detente y avanza, relájate y disfrútalo, esta semana será el maravilloso *ejercicio revitalizante*.

Regresa al interior de tu casa, cuánta alegría percibes cada vez que avanzas por el camino de la *sanación*, y es porque la magia que envuelve a cada momento se irradia a través de la paz y tranquilidad que obtendrás también esta semana con el ***viaje de sintonización de energía***. Siéntate cómodamente en la silla o banco que está en tu habitación. Apoya la mano derecha sobre el hombro izquierdo y la mano izquierda sobre el hombro derecho. Cierra los ojos, respira tranquilamente mas no profundo, cuando estabilices tus pensamientos, visualiza flotando sobre tu cabeza un pequeño sol del tamaño de una naranja. Percibe el fulgor y el calor que irradia la esfera, imagina que la esfera comienza a verter sobre ti su luz, su energía, su poder, está cubriendo tu cuerpo de luz, la esfera comienza a girar sobre ti formando una espiral. Percibe su rastro cual cometa que viaja por el espacio. Continúa respirando tranquilamente, inhala ese calor, percibe cómo se invaden los pulmones, el corazón, la mente, la columna, el estómago, todo tu cuerpo se nutre de energía. Esa energía es una cascada que da origen a arroyos y mares en tu interior. Has llenado tu interior, estás satisfecho. La esfera ya ha descendido hasta tocar casi el piso. Está flotando muy cerca de los pies, baja la mano derecha y toma la esfera, elévala, posa la mano izquierda sobre ella, separa las manos y deja que se eleve hasta perderse en el espacio. Abre los ojos.

Un nuevo despertar cada mañana es la bendición más grande que otorga la vida y tú cada vez tienes más *fuerza*, *voluntad* y *confianza* para continuar disfrutando de ella. Vamos, continúa con un **baño con agua**, esta semana usarás jabón y champú de manzanilla, realízalo tal y como lo hiciste durante la primera semana de sanación.

Después de cada baño, vístete lo más rápido posible, pero sin olvidar que puedes y debes lucir cada día mejor tanto espiritual como físicamente. Date cuenta cómo cambian las cosas y aquella persona débil y enferma se ha ido y ha dado paso a una nueva persona llena de *vida*, de *salud*, de *paz*, tan sólo porque te has detenido a ordenar y armonizar tu vida desde que inició este viaje de **Las siete semanas del milagro**.

Apresúrate a preparar el **desayuno**, silba o tararea una canción cuando que estés preparando cada uno de estos menús de sanación.

Menús para el desayuno

Un vaso de agua
Jugo de durazno
Chilaquiles verdes
Frijoles refritos
Una rebanada de pan integral
Té o café de cereales

Un vaso de agua
Jugo de zanahoria con betabel
Huevos a la catalana
Bisquet de avena con mermelada de zanahoria y naranja
Café de soya

Un vaso de agua
Jugo de arándanos
Quelites rellenos
Un panquesito de germen de trigo
Atole de trigo sencillo

Escoge cualquiera de los tres menús, puedes repetir esta semana alguno de los anteriores o bien aventúrate a buscar nuevas opciones en un libro de alimentación naturista. No olvides agregar esas pizcas de *amor*, que dan a cada platillo un mejor sabor.

Decora cada mañana la mesa con un mantel lila y flores de colores, no importa su tamaño, ya que lo importante será la inventiva con que coloques las flores en el florero o cesta que utilices, acerca el vaso de agua que mantendrás intacto y todo aquello que utilices para que no tengas que levantarte.

Siéntate cómodamente, lleva las manos hacia donde estén los platillos y di la siguiente frase que te acompañará toda esta semana:

"El color, el sabor y el aroma de este plato son parte de todos los milagros que tiene la vida".

Buen provecho.

Y cada vez que sientas hambre a media mañana en esta semana come un pequeño bocadillo pero primero toma el vaso de agua.

Dos fresas
Un dulce
Una varita de apio

Después de comer grandes platos de salud, es necesario dirigirse al sanitario para cepillarse los dientes y realizar el *ejercicio fortificante*, mírate al espejo y di la siguiente frase:

"Con paciencia y empeño disfruto de cada momento que me otorga la vida ".

Encamínate para *comenzar el trabajo;* toda la semana silba una canción y por qué no inventas algún ritmo y mézclalo con pequeños golpecitos con tu dedos, te aseguro que la mañana será más corta de lo que crees.

Mediodía

Durante esta semana cuando llegue el medio día, también detendrás tu trabajo para continuar con la estabilidad que logras al *"elevar el mejor de los pensamientos"*, repite alguno que te haya gustado de las semanas anteriores o bien sigue esta frase:

"La vida es hermosa y me enseña que hasta las aves se detienen a descansar, doy gracias a la vida por tener el placer de disfrutar de estos momentos".

Acude rápidamente a tu rincón especial donde realizarás el *ejercicio rítmico*. Ubícate en el lugar donde ya has trazado la figura del día anterior. Cierra los ojos y relájate. A la vez que dices la frase, da unos pasos medianos hacia el lado derecho. No olvides mover los brazos al compás de tu desplazamiento. Primer paso: yo poseo la vida. Segundo paso: yo poseo la inteligencia. Tercer paso: yo poseo la caridad. Gira tu cuerpo 45° hacia la izquierda, a la vez que avanzas y repites lo anterior. Gira de nuevo tu cuerpo 45° hacia la izquierda, avanza y repite lo anterior. Continúa así al menos durante un minuto. Abre los ojos, has formado y anexado un nuevo triángulo.

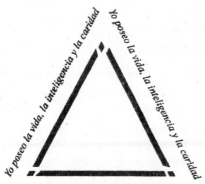

Yo poseo la vida, la inteligencia y la caridad

Cuando menos sientas estarás preparando "*la sagrada comida*". Poco a poco con cada actitud que tomes cuando estés preparándola debes recordar que eres lo que comes y piensas, así entonces aprovecha para estar feliz, ve el lado bueno que tiene cortar un jitomate, admira su belleza, sus formas, su olor, en fin, disfruta de estar preparando con tus propias manos cada bocado de *salud* que recibirá tu cuerpo. No olvides agregar unas pizcas de *amor*.

Menús para la comida
Un vaso de agua
Agua de betabel y piña
Ensalada de yogurt con germinados
Sopa de habas y nopales
Milanesa de gluten de trigo

Un vaso de agua
Agua de manzana con nuez
Sopa verde
Picadillo de soya
Una tostada de maíz
Helado Dora

Un vaso de agua
Agua de mango
Sopa de cebolla con verduras
Pimientos con hojas de amaranto
Pan de sal
Chongos zamoranos

Cuando sientas un poco de hambre por la tarde puedes comer alguno de los siguientes bocadillos, no abuses de ellos, primero tomate el vaso de agua y después come despacio el que prefieras.

Dátil
Cocada
Tres pistaches

Acerca todo a la mesa, recuerda que esta semana estarás usando el mantel lila y un florero o maceta con flores de colores, corta algunas hojas de enredadera o guía de hojas que prefieras y ponlas alrededor de cada guiso, vamos, intenta ir más allá de esto.

Siéntate a la mesa para disfrutar del placer de la comida. Cierra los ojos e invita a tus acompañantes, al Sol, al viento, a la vida a sentarse contigo, coloca el vaso de agua que mantienes intacto cerca de ti para que lo puedas tocar con las yemas de los dedos, cierra los ojos, percibe su temperatura, está cálida, será que el Sol está igual que tú tocando este vaso, di la siguiente frase:

"Cada bocado de estos platos alimenta mi cuerpo a la vez que sana mi alma".

Buen provecho.

Cada día que te levantes de la mesa di "*gracias*". Si alguien más cocina para ti, déjale esta semana una nota que exprese que esta comida ha sido una experiencia muy especial.

Continúa el camino y no olvides cepillarte los dientes, así como retocar tu vestimenta y el peinado, porque quién no se siente renovado y lleno de vida cada vez que se arregla un poco. También aprovecha para hacer rápidamente el *ejercicio fortificante* que repetirás todos los días. Colócate frente al espejo, respira tranquilamente, observa tus manos y después tu rostro, di la siguiente frase: "*La paz y la armonía se encuentran en mi interior*". Sonríe.

No te detengas procede a *continuar con el trabajo*. Camina y saluda a la gente que te encuentres a tu paso.

Y como la prisa y el estrés no se acaban, detente un poco durante la tarde para retomar energías, disfrutar de ese pequeño pero maravilloso rato que es saber que vas a *interrumpir la rutina*. Esta semana necesitarás levantarte un poco y dar unos pequeños pasos hacia enfrente y hacia atrás, regresa y siéntate en un sillón cómodo, imagina que estás en un columpio, mueve un pie y juega la arena, déjate ser un niño, mécete un poco, si deseas puedes cerrar los ojos, recuerda la sensación del aire en tu cara cada vez que te elevabas, continúa así unas cuantas veces más, abre los ojos, y como dice esta frase:

"Hasta un poco de aire imaginario puede cambiar la imagen que tienes del mundo real".

Procede a *continuar con el trabajo*.

Noche

Qué bendición es retornar a casa, las ansias por descansar se agolpan en todas las cosas, la gente, los autos, las aves, parece que nadie se detiene hasta llegar a casa; sin embargo, durante toda esta semana dejarás que todos se vayan, para *disfrutar de escuchar el silencio*, siéntate y cierra los ojos. Cuando termines esta maravillosa experiencia, dirígete a casa y si puedes acude al parque, siéntate en una banca y observa el juego de los niños, escucha sus risas, admira su inocencia y su poder de inventiva, ellos no tienen límites, toma esta experiencia y sé más audaz esta semana cuando sientas que has perdido la capacidad de sorpresa e inventiva.

Cuando retomes tu camino *eleva el mejor de los pensamientos* y acompáñalo con la siguiente frase: *"La armonía, la alegría, la belleza y la estabilidad rodean a este niño que llevo en el interior".*

Cuando estés en casa enciende todas las luces, ve a tu habitación y acércate a la ventana, enciende una varita de incienso de lavanda, retírate los zapatos para realizar un *automasaje* que logrará estimular la circulación de la energía. Siéntate en el banco para que puedas apoyar las plantas de los pies sobre el piso. Cierra los ojos y respira tranquilamente, ahora imagina que respiras por las palmas de las manos. Coloca la mano izquierda a una distancia de dos centímetros del hombro derecho, percibe la energía que irradias. Comienza a recorrer el cuerpo por el torso del lado interior hasta llegar a las puntas de los dedos de la mano. Retorna por el lado exterior hasta llegar a lo más alto de la cabeza, sigue así hasta que hayas cubierto toda la zona. Continúa por la parte exterior hasta llegar a las puntas de los dedos de los pies. Levanta el pie y prosigue por la planta, continúa el camino y asciende hasta el hombro izquierdo y repite con la mano derecha lo anterior.

A medida que te vayas familiarizando con este ejercicio, procura variar la velocidad que guía la mano, ve aprisa y despacio, imagina que bailas danza moderna, recuerda que los movimientos son cadenciosos pero con fuerza. También puedes variar este ejercicio y hacerlo mentalmente como si estuvieras manejando alrededor de tu cuerpo.

Cada vez que hayas armonizado toda la energía que posees disponte a preparar el menú que escojas para la *cena*.

Menús para la cena
Un vaso de agua
Pollo a la plancha
Ensalada de escarola con bolitas
Horchata de avellanas

Un vaso de agua
Betabel a la crema
Pay de brócoli
Refresco de menta

Un vaso de agua
Aguacate especial
Pastel delicado
Ponche español

Esta semana improvisarás cenas "al fresco" en el jardín o bajo un tejado a la interperie, coloca la mesa con el mantel lila y un sobremantel blanco, acerca un candelero con velas o una pequeña lámpara, coloca un cuenco con agua en el centro de la mesa, acerca el vaso de agua que mantendrás intacto, no olvides llevar todo lo que vas a ocupar para que no tengas que levantarte.

Ve a la habitación y ponte ropa de color blanco, apaga todas las luces de tu casa y siéntate a la mesa, invita a quien te acompañe a la mesa a cerrar los ojos por un momento, toma sus manos y di la siguiente frase:

"Cual luna viajera, mi vida ha llegado hasta esta mesa para disfrutar de todo aquello que me ofrece vida".

Abran los ojos y miren al cielo. Las estrellas y la luna los observan, éstas se detienen a contemplarlos, así cómo ustedes lo hacen. Mira hacia el interior del cuenco y ve como hasta parece que en tu mesa existe un universo especial para ti, *buen provecho*.

Cuando termines de cenar lávate los dientes, no olvides realizar el ***ejercicio fortificante***, ya frente al espejo mírate, suspira y di la siguiente frase: "*Me relajo a sabiendas que estoy seguro*".

Cada noche regresa por el cuenco de agua de la mesa y lava tus manos con ella para que te lleves un pedacito de cielo en las manos.

Has hecho cosas maravillosas hasta esta semana, por lo que no debes olvidar realizar cada tercer noche el ***ritual nocturno***, ya sabes lo que tienes que hacer y decir. Esta semana intercambia el pastel por pan, no olvides colocar los cinco elementos: Agua, tierra, aire, fuego y madera.

También cada dos días de esta semana date un tiempo para preparar un bebedero de aves con agua, colócalo en una rama de árbol, procura que puedas observarlo a lo lejos para que cuando lleguen las aves te regales con su presencia un momento de admiración y magnificencia de la sabia madre naturaleza.

Cada noche retira toda la ropa de tu cuerpo y ponte la pijama, da un recorrido por todas las habitaciones a la vez que lees las frases para esta semana:

* *Haz lo que tenga que hacerse.*
* *Haz nuevos amigos pero conserva a los viejos.*
* *Cuenta tu jardín por las flores no por las hojas caídas, cuanta tus días por las horas doradas, no por las penas habidas, cuenta tus noches por estrellas, no por sombras, cuenta tu vida por cada sonrisa, no por las lágrimas.*
Da las buenas noches.

Resumen de actividades

Mañana
· **Elevar el mejor de los pensamientos**
· **Respiración profunda**
· **Ejercicio revitalizante**
· **Viaje de sintonización de energía**
· **Baño con agua**
· **Desayuno ***
· **Ejercicio fortificante**
· **Comenzar el trabajo**

Mediodía
· **Elevar el mejor de los pensamientos**
· **Ejercicio rítmico**
· **La sagrada comida ***
· **Ejercicio fortificante**
· **Continuar con el trabajo**
· **Interrumpir la rutina**
· **Continuar con el trabajo**

Noche

· **Disfrutar del silencio**
· **Elevar el mejor de los pensamientos**
· **Automasaje**
· **Cena ***
· **Ejercicio fortificante**
· **Ritual nocturno**

* El recetario se encuentra al final del libro.

Sexta semana

Hoy, mañana y todos los días de esta semana continuarás avanzando porque has demostrado pensar positivamente a pesar de los obstáculos. La brevedad del camino cada vez es más notable, porque a cada día ya no tratas de controlar lo incontrolable, ya comienzas a prepararte cada mañana, tarde o noche, para hacer lo que se tenga que hacer. Desde hoy y hasta los días que te sobren de vida recuerda enfocarte sólo en la belleza espiritual y en las bendiciones que se te dan a cada momento.

Mañana

Que fascinante es observar cómo las abejas despiertan también cuando los primeros rayos del sol calientan su hogar, salen de la colmena y parece que danzan un baile agradeciendo que un nuevo día de trabajo esté por comenzar. Tal como estás recostado sobre el lecho práctica la ***respiración profunda***, recuerda que la respiración superficial, poco profunda y deficiente, nunca producirá buena salud en el cuerpo, teniendo como los más fieles acompañantes la fatiga, la depresión, la falta de energía, la tristeza, la mala memoria, el bajo cociente intelectual y un sinfín de enfermedades. Con la práctica de este ejercicio has notado que es un agradable y tonificante pasatiempo que disfrutas aun cuando estás sentado realizando tu trabajo o bien paseando, porque justo con esta actividad das un pequeño empuje de ánimo, de vida y de alegría suficiente para continuar con cada día. Cuando termines lo anterior, como una abeja, levántate del lecho cada mañana de esta sexta semana del milagro como si estuvieras danzando, enciende una vela color azul y una varita de incienso de azahar, vamos, arrópate, a medida que te acerques ya sea a la ventana o al jardín de tu casa, estírate un poco, mueve los brazos hacia enfrente y hacia atrás, gira un poco la cabeza hacia un lado y hacia otro. Detente de frente al horizonte y escucha los sonidos del ambiente, muévete de un lado a otro, hasta puedes bailar, vamos, inténtalo como un ***ejercicio revitalizante*** durante toda esta semana, así tal como estás danzando ***eleva el mejor de los pensamientos*** y acompáñalo de la siguiente frase:

"La creación de ideas positivas me conducen hacia la sanación".

Continúa danzando hasta que llegues a tu lugar de la sanación para que emprendas el ***viaje para colorear el interior***, primero familiarízate con el diagrama.

hasta la base de la columna, ahora imagina que éstas se dirigen hacia la tierra y se introducen en ella. Las raíces también expulsan tensiones y toxinas del cuerpo. Cuando las raíces se hayan profundizado lo más que puedas, percibe cómo el cuerpo se siente más liviano y seguro, ahora, toma energía de la tierra y dirígela hacia el cuerpo, extrae lo más que puedas de ésta porque es nutritiva, es reparadora, es saludable, continúa exhalando todas las tensiones y toxinas. Siente cómo se acumula toda la energía en la base de la columna, situándose especialmente en el chakra de la raíz. Visualiza la energía como una luz roja que irradia calor a todo el cuerpo. *Ahora posees la seguridad y la estabilidad interior y exterior*. Cuando estés listo, permite que la energía de la tierra continúe fluyendo hasta el chakra sexual, percibe cómo resplandece una luz anaranjada. *Ahora estás radiante y lleno de vida*. Con calma y sin prisas, continúa aspirando la energía de la tierra hasta el chakra del plexo solar, imagina que irradia un color amarillo cálido. *Ahora eres sano, fuerte y capaz para realizar todas tus actividades de manera sagrada y animada*. Continúa absorbiendo la energía de la tierra, percibe cómo, a medida que avanzas con el ejercicio esta energía continúa elevándose por el cuerpo, siente como ahora se dirige hacia el chakra del corazón, imagina una luz verde, tan viva que refulge como si fuera primavera, siente cómo resurge el amor, las emociones y los sentimientos. *Ahora estás listo para sentir, dar y recibir*. Prosigue, elévate entre el corazón y la garganta, al menos dos o tres centímetros debajo de la clavícula, ahora has llegado hasta el chakra del timo, imagina ahí una luz de color aguamarina, justo aquí se encuentra una conexión con la compasión, la familia, los amigos y la humanidad. *Recuerda que no estás solo.* Deja que la energía de la tierra se dirija hacia la garganta y los oídos, visualiza una especie de triángulo invertido que los une, acerca las manos y colócalas por debajo de la cara, ahora imagina que brilla una luz azul celeste, has llegado al centro que gobierna el habla y el oído. *Ahora estás listo para comunicarte, escuchar y hablar.* Lleva la energía hacia la frente, has llegado hasta el chakra del tercer ojo, siente como brilla una luz de color azul violeta. *Ahora estás listo para percibir la comunicación extrasensorial.* Continúa elevando la energía de la tierra hasta el chakra de la coronilla, céntrate y sigue respirando rítmicamente de manera suave. Imagina que una luz violeta surge y se irradia desde aquí. Imagina que la energía de la tierra transita por todos los chakras y que surge poco a poco como un chorro que te baña y envuelve, te limpia y purifica. Continúa respirando suave y rítmicamente, percibe todos los chakras iluminados, percibe cómo la luz que brota desde ti se conecta con el espacio, con la Luna, el Sol, los planetas, las estrellas y el cielo. Abre los ojos y contempla el universo que te rodea, siente cómo te has trasformado en un gigantesco y mágico arco iris de luz.

Como el ejercicio anterior es largo, quizás al principio te cueste un poco de trabajo mantener la concentración y te desanimes; pero fíjate lo que dice esta bella frase:

"Un tropiezo no significa el fin de todo. ¡Al contrario! Es un reto para probar la capacidad de lucha".

Hazlo, si fracasas al primer intento, date un pequeño descanso para recuperarte y analizar con calma la situación. Verás que podrás encontrar poco a poco una alternativa para salir adelante y llegar hasta el final de este ejercicio.

Cuando termines de viajar hacia grandes lugares, levántate, date el **cepillado de la piel** prosigue con el **baño de esponja**, utiliza esta semana champú y jabón de sábila, así como aceite de lavanda, recuerda vestirte con ropa cómoda y presentable.

Cuando termines, dirígete a preparar el **desayuno**, no olvides que debes variar cada uno y dejar que los sabores y los olores invadan tu corazón y tu espíritu al prepararlos.

Menús para el desayuno

Un vaso de agua
Jugo de naranja con toronja
Omelette de amaranto
Frijoles machacados
Una rebanada de pan integral

Un vaso de agua
Gelatina de piña
Ejotes vestidos
Una tortilla de harina integral
Leche de soya

Un vaso de agua
Licuado de mamey
Cacerola mexicana
Medio bolillo de harina integral

No olvides que a cada platillo que preparas debes de darle su tiempo y su dedicación para que cuando los sirvas a tu mesa, sean el mejor reflejo de tu *empeño* y *dedicación*, las pizcas indispensables para sanar.

Utiliza toda esta semana hermosos manteles azul cielo sobre la mesa o desayunador, acerca una nueva maceta o florero pequeño, escoge que todo armonice. Coloca el vaso de agua que mantendrás intacto. Siéntate cómodo, cierra los ojos, une tus manos en forma de oración y di la frase de la semana:

"Cada vez que me siento a la mesa, logro encontrar la serenidad que invade a estos alimentos".

Buen provecho.

Cuando termines el desayuno, ve a la habitación, colócate frente al espejo y así tal como estás realiza el *ejercicio fortificante*, mírate a los ojos, baja la mirada y recorre tu cuerpo, vuelve la vista hacia enfrente. Di la siguiente frase:

"Ten fe en cómo estás, porque ahora mismo es como debes estar".

No olvides cepillarte los dientes todos los días de esta semana. Cuando estés listo da un vistazo general a toda tu casa y di "*hasta pronto*". Emprende el camino y **comienza el trabajo**.

Recuerda durante todos los días de esta semana atesorar cada segundo de tu vida como si fuera el último.

Mediodía

A cada día de esta semana sé agradecido por tener tiempo para hacer tu trabajo diario, honra tu trabajo que de él obtienes las mejores riquezas: la remuneración espiritual. Así tal como te encuentras tranquilo y en paz no olvides *elevar el mejor de los pensamientos* y acompáñalos de esta frase:

"Cada ser humano tiene algo valioso que ofrecer".

Con la paz y la tranquilidad que sientes, dirígete a tu lugar especial para que continúes con el *ejercicio rítmico*. Vamos, apresúrate que este día habrá grandes sorpresas para disfrutar. Ubícate en el lugar donde ya has trazado la figura. Cierra los ojos y relájate. Recuerda que a la vez que dices la frase, da unos pasos medianos hacia el lado derecho. Primer paso: yo poseo la armonía. Segundo paso: yo poseo la gracia. Tercer paso: yo poseo la salud. Gira tu cuerpo 45° hacia la izquierda a la vez que avanzas y repites lo anterior. Gira de nuevo tu cuerpo 45° hacia la izquierda, avanza y repite lo anterior. Continúa así al menos durante un minuto. Abre los ojos, has formado y anexado un nuevo triángulo.

Yo poseo la armonía, la gracia y la salud

Tus caminos han trazado grandes líneas que hasta hoy te han llevado por los caminos de la sanación pero aún falta un buen tramo por caminar. Así tal y como estás encamínate hasta que prepares *la sagrada comida*, prepara lo más saludable que puedas cada platillo de estos tres menús, no olvides variarlo o bien repetirlos.

Menús para la comida

Un vaso de agua
Sopa de tortilla con caldo de frijol
Puntas a la mexicana
Bebida peruana
Naranjas estofadas

Un vaso de agua
Sopa de hongos
Brócoli con salsa holandesa
Agua rosa de guayaba
Dulce de arroz horneado

Un vaso de agua
Ensalada Bruselas con manzana
Coliflor enfundada
Agua de lima
Budín de uva y manzana
    Buen provecho.

Esta semana cuando sientas hambre por la tarde, sólo toma un vaso de agua.

Para las comidas de la semana utiliza manteles azul cielo, elige algún elemento bonito que combine, por ejemplo una cesta con manzanas y uvas.

Agrega siempre esas pizcas de *empeño* y *dedicación* y deja todo listo para servir la comida y mira hacia el cielo, así tal como estás di la frase que te acompañará esta semana:

"El trigo y la vid son alimentos para el cuerpo, la paz y el amor son para el corazón".

Cuando termines de comer, cepilla tus dientes y realiza el ***ejercicio fortificante***, mírate al espejo, observa el tono de tu piel. No eres el mismo, ahora te ves mejor, di la siguiente frase:

"A cada instante descubro que la alegría de vivir motiva mi camino y mi esperanza, no hay temor, no hay ansiedad, no hay peligro que no sea capaz de vencer".

Hay que ***continuar con el trabajo*** y si te sientes deprimido ante la tarea que parece no acabar, recuerda esta frase:

"Aventúrate a vivir los eventos que te reserva cada día, ama y acepta las mezcla de momentos buenos y malos, no te aflijas, todo es parte del desarrollo natural de esta vida".

Y para quitar también un poco de estrés mental, esta semana disfrutarás de **interrumpir la rutina,** camina a un lugar tranquilo, siéntate y comienza a imaginar que estás en el campo, no hay nada que te cause mayor placer que el estar ahí, en tus manos tienes un papalote, mentalmente corre, así, más rápido, elévalo muy alto, sujétalo con fuerza, el aire fresco agita tu cabello, un soplo de viento te levanta y te lleva a conocer nuevos lugares, mira hacia abajo, las calles, la gente, los edificios, los montes, los valles, quizá esta corriente de aire te logre llevar más allá de donde puedas imaginar, ahora retorna hacia la tierra, muy suavemente déjate llevar, estás pisando el suelo, abre los ojos. Regresa a **continuar con el trabajo**.

Noche

Cuando el sol cae y sus rayos no calientan, como por la mañana, las abejas retornan a su colmenar "lugar repleto de maravillosos frutos de la vida". Es tarde la noche hace su aparición y tú tienes que dirigirte también a casa. Y como esta semana estarás atesorando cada segundo de tu vida, detente a **descansar un poco** y observa desde esa perspectiva la lluvia o el tráfico, acaso no son diferente, sellos poseen su encanto propio con sólo comprender y aprender los pequeños momentos que la vida nos otorga.

Conforme exploras los caminos descubres que los dones que has acumulado hasta hoy pueden ayudar tanto a ti como a tu familia, esta semana cuando vayas de regreso a casa, has una parada para *visitar la casa de algún viejo amigo o pariente*, abrázalo y reconfórtalo con el gran milagro que estás logrando. Date cuenta de que cada vez que repites esta acción traes nuevas sonrisas a tu corazón.

También esta semana te darás un tiempo para disfrutar de los *cinco minutos del escape*, es una actividad para descargar toda la energía que has acumulado hasta hoy ya sea buena o mala. Vamos, apresúrate a gritar, sí grita fuerte, más fuerte o bien te acuerdas cómo disfrutabas llenar globos con agua, vamos junta al menos unos cuantos y arrójalos con fuerza a la pared, cuando termines observa el ambiente y sonríe, posiblemente en las figuras que dibujaste haya surgido uno que otro monstruo, no te preocupes tú eres más fuerte, aprovecha estos minutos para inventar una actividad sana y productiva.

El ejercicio físico y espiritual son necesarios, así que no te preocupes porque estés un poco cansado, guarda tus energías para preparar la *cena*. Escoge de entre estos menús el que más se te antoje para el primer día, después puedes seguirlos o bien combinarlos.

Menús para la cena
Un vaso de agua
Ensalada de chícharos
Niditos de espinacas
Flan de manzana
Té de piña especial

Un vaso de agua
Tinga poblana
Atole de coco

Un vaso de agua
Chayotes gratinados
Gelatina de algas

Coloca el mantel azul y un sobremantel blanco para la cena, enciende algunas velas y varitas de incienso de azahar en el centro. Siéntate a la mesa cuando todo este listo, cierra los ojos, acerca las manos hacia la zona del ombligo, percibe la energía que después de dos o tres semanas aún posees, toma un puñado entre las manos y elévalo hasta la boca y sopla para que todo lo que has preparado para cenar se bañe de energía. Cada vez que cenes esta semana di la siguiente frase:

"Una esperanza se abre a cada día, a cada paso, a cada palabra y a cada bocado".

Abre los ojos, *buen provecho*. Una vez que termines de cenar, cepíllate los dientes y colócate la pijama. Aprovecha para verte esta semana sólo al espejo, cuando estés frente a él regálate un beso como ***ejercicio fortificante***.

Cada tercer noche de esta semana procede a realizar el ***ritual nocturno***, utiliza esta semana un cuenco con verduras, no olvides los cinco elementos: aire, tierra, fuego, agua y madera.

Antes de dormir cada noche de esta semana reflexiona lo que estas frases te enseñan:

* *Aborda cada momento como una oportunidad de hacer el bien y ayudar a quién más lo necesita.*
* *Sé tu propio amigo y confidente.*
* He obtenido la serenidad para aceptar las cosas que no puedo cambiar, he obtenido el valor para cambiar las cosas que puedo cambiar y he obtenido la sabiduría para saber diferenciar.

Resumen de actividades

Mañana
· *Ejercicio revitalizante*
· *Elevar el mejor de los pensamientos*
· *Viaje para colorear el interior*
· *Cepillado de la piel*
· *Baño de esponja*
· *Desayuno **
· *Ejercicio fortificante*
· *Comenzar el trabajo*

Mediodía

· *Elevar el mejor de los pensamientos*
· *Ejercicio rítmico*
· *La sagrada comida* *
· *Ejercicio fortificante*
· *Continuar con el trabajo*
· *Interrumpir la rutina*
· *Continuar con el trabajo*

Noche

· *Descansar un poco*
· *Visitar la casa de un viejo amigo*
· *Los cinco minutos del escape*
· *Cena* *
· *Ejercicio fortificante*
· *Ritual nocturno*

* El recetario se encuentra en un apartado especial.

Séptima semana

Hoy, mañana y todos los días de esta semana tu mente, tu cuerpo y tu espíritu continuarán siendo tus alas, hasta hoy, ellas te han elevado hasta llenarte de *esperanza, armonía, fe, voluntad, amor, salud* y *vida*; palabras breves pero tan intensas para crear un *paraíso*, mírate, has resurgido y renacido de él, eres mejor que en aquel primer momento en que tuviste entre las manos este libro, mira ese espacio en el que te encuentras, juntos son la viva expresión de esos senderos que has andado.

También hasta hoy, tu mente y tu cuerpo se han establecido dentro de un ritmo, has aprendido y reafirmado cada paso y sentimiento, esta maravillosa semana continúa por un nuevo sendero de la salud para que aprendas a percibir las sutilezas y diferencias de las sensaciones mentales y físicas a través de todas las actividades realizadas en la semana, que serán las encargadas de iluminar y guiar tu corazón y tu mente, para *aprender*, *limpiar*, *generar*, *aumentar*, *reunir*, *depurar*, *refinar* y *almacenar* tu *vida*.

Para iniciar recuerda que la renovación siempre trae a tu vida nuevos *anhelos* y *esperanzas*. Así entonces, cada día disfruta del sol y de la luna, del calor y el frío, de la mañana y de la noche, del silencio y del ruido, en fin, de todos esos instantes mágicos que te otorga la *vida*. Porque como te habrás dado cuenta cada día recorres más caminos y has descubierto cosas del mundo que llevabas en el interior; el camino ha sido largo, sin embargo, aún te falta un tramo por recorrer, estás ante la culminación de un ciclo, que podrás retomar cuando desees recargar tu mente, tu cuerpo y tu espíritu con nuevos bríos de *salud* y *vida*.

Siempre que te despiertes recuerda que cada pensamiento y cada palabra que expreses seguirán siendo aquellas semillas que germinen y florezcan como hermosos frutos en el campo, tal como lo dice la siguiente frase: "*La vida es como la vid que racimos de amor y vino de esperanza nos brinda*". Puedes tomar esta frase y repetirla cada amanecer de esta semana.

Vamos, levántate del lecho, detente frente a la ventana y enciende una vela (azul, verde, amarilla, naranja, roja, violeta y blanca) y una varita de incienso (azahar, jazmín, lavanda, rosas, sándalo, lilas y mirra). Sigue el orden anterior para cada día y ve encendiendo cada vela e incienso que ya hayas prendido los días anteriores, acomódalos a manera de que según transcurran los días logres formar una estrella de seis picos, símbolo del equilibrio.

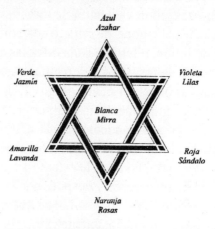

Azul
Azahar

Verde
Jazmín

Violeta
Lilas

Blanca
Mirra

Amarilla
Lavanda

Roja
Sándalo

Naranja
Rosas

A diario siéntate frente a las velas e inciensos y observa, admira el tono de la flama, su brillo, su intensidad, su poder, cierra los ojos, puedo asegurarte que aun con los ojos cerrados puedes continuar con la imagen de la flama y descubrir que tienes el *poder* y la *voluntad* de crear tus propios momentos de *magia* y *esplendor*, continúa con los ojos cerrados y **respira profundo**, tal como lo has hecho las semanas anteriores.

Tú mismo hasta hoy, has determinado el tiempo de sanación que necesitas para lo anterior, abre los ojos y levántate inmediatamente para que escojas la ropa que utilizarás; esta semana debe ser preferentemente de color blanco o beige de algodón, para que mantengas concentrada toda la energía y armonices con todas las actividades de depuración que encierra la riqueza de esta semana.

Apresúrate a darte un **baño de esponja**, esta semana utilizarás jabón y champú de romero, prepara una mezcla de ocho gotas de romero con cinco gotas de aceite de limón, altérnalo cada dos días con diez gotas de aceite de rosas con cinco gotas de aceite de bergamota. Introduce el cuerpo bajo el chorro del agua templada, enjabónate con la esponja con movimientos circulares ascendentes de la cintura hacia arriba y de la cintura hacia abajo, frota firmemente contra tu cuerpo, tal como si te estuvieras puliendo, inicia con la mano derecha y después con la izquierda, cuando termines no retires el agua que queda en tu cuerpo, aplica inmediatamente el aceite con los mismos movimientos, cierra los ojos y procura deleitarte con las sensaciones que se producen cada vez que tocas la piel, una piel que ya no es áspera, ahora es tersa, es suave y cálida. El séptimo día de esta semana realiza el **baño para depurar**, utiliza jabón y champú de manzanilla y una mezcla de cinco gotas de aceite de sándalo, cuatro gotas de azahar y cinco gotas de benjuí. Cuando estés bajo el chorro del agua, medita sobre algún huésped que aún albergue tu cuerpo o tu espíritu, llévalo hasta la zona del ombligo y tómalo entre las manos y deja que el agua se lo lleve, y recuerda la siguiente frase:

"Un hombre que no teme, vive siempre, un hombre que teme, muere cada minuto".

Cuando termines de bañarte, aplícate inmediatamente el aceite y colócate la ropa.

Cuando termines ve inmediatamente a donde has aprendido que la *armonía*, el *contraste*, el *equilibrio*, la *creatividad* y la *salud* pueden formar parte de cada plato que elaboras. Esta semana deberás realizar cada día una **monodieta**, de frutas suaves a sólidas: plátano, melón, naranja, fresa, uva, manzana y mango. Es decir, comerás cada día abundantes raciones de una sola fruta, en el orden en que están acomodadas.

Durante su preparación realizarás un **ritual de la fruta**. Muchas veces hemos oído sobre asombrosas curas a través de una fruta; sin embargo, pocas veces nos hemos maravillado con esas formas que hablan de *vida* y de *salud*, de *armonía* y de *equilibrio*, en fin, a partir de hoy cada vez que puedas detente a realizar este ritual aunque no estés realizando el ayuno. Corta una rebanada de la fruta, admírala de cerca y ahora de lejos, sus colores quizá te recuerden los hermosos tonos del amanecer y el atardecer. Cierra los ojos, toca suavemente las semillas y la cáscara con las yemas de los dedos. Acércala un poco a la nariz y aspira sus aromas frescos e intensos. Abre los ojos y procede a cortar la fruta en cuadros o triángulos pequeños.

Qué felicidad se experimenta con el ritual anterior que hasta me recuerda una frase que puede enseñarte aun más de lo que crees:

"En ocasiones todo el mundo anda buscando la felicidad, a veces llamada dicha, sin embargo muchos de los que la buscan con tanto ahínco continúan pasando de largo ante ella aunque la tengan incluso servida en su plato".

Ve colocando la fruta en un platón, es algo muy sencillo, sin embargo, prepáralo lo más apetitoso que se pueda, agrega esta semana pequeñas pizcas de *sabiduría* y un puñado de *valor*, coloca un mantel blanco sobre la mesa, trae flores del jardín o pequeñas macetitas, recuerda acercar el vaso de agua que mantendrás intacto y el platón. Coloca todo en forma de triángulo y abre las cortinas e invita mentalmente cada vez que vayas a comer al sol, las nubes, las aves, el viento, la luz, la luna, en fin todo aquello que se vislumbre por el horizonte que te pueda hacer compañía, para que con su poder y magia acaricien lo que vas a comer. Enciende la radio en alguna estación de música instrumental, para que pintes de color y sonidos cada bocado o bien disfruta l*a Primavera (Las cuatro estaciones)* de Vivaldi o Aire de Bach.

Cada día siéntate a la mesa con tus majestuosos invitados, descansa la espalda sobre el respaldo de la silla, eleva las manos al cielo, coloca los dedos como si recibieras algo, levanta la cara y cierra los ojos, respira tranquilamente y pronuncia en cada comida la siguiente frase:

"Primero debo nutrir mi espíritu y después mi cuerpo".

Baja las manos y abre los ojos, disfruta de cada bocado, *buen provecho*. Los días siguientes pronuncia las frases que se encuentran separadas por comillas junto con la anterior hasta que el séptimo día de esta semana logres conformar el siguiente párrafo:

"Primero debo nutrir mi espíritu y después mi cuerpo". "Y como el sol al día es necesario así estos alimentos son para la salud". "Estos alimentos son como un oasis de paz, de amor, de alegría y de salud". "La luz y el aire que bañan y acarician estos alimentos son parte de la gracia que día a día maravilla y nutre mi cuerpo, mi mente y mi espíritu". "Porque estos alimentos son parte de la armonía, de la paz y de la alegría de esta vida". "Que por un destello de luz ha hecho posible que la tierra se nutra de maravillosos frutos de ingeniosidad y me permita tomarlos para hacer de la comida una ocasión de gran placer al paladar, a la vista y a mi salud". "Agradezco a la madre naturaleza que me proporciona estos alimentos y agradezco a los alimentos que me den su vida para sanarme".

Esta semana durante el día debes ingerir té preparado con yerbabuena, manzanilla y betel.

No te atemorices por realizar la monodieta durante todos los días, ya que es tan sólo una terapia que ha tenido reconocimiento desde tiempos remotos, pero para tranquilizarte te diré que ésta ejerce una gran variedad de funciones sobre el organismo que son muy parecidas a las de la hidroterapia, es decir limpia y depura, aumenta la energía del organismo, eleva el nivel de las defensas, elimina toxinas que intoxican y enferman, depura la sangre, reduce el peso al quemar la grasa, fortalece el sistema circulatorio, tonifica los pulmones, aumenta los procesos de regeneración celular ayudando a que cierren más rápido los tejidos dañados, así como evitan el envejecimiento prematuro, aumenta la cantidad de sangre en el cerebro, clarifica el pensamiento y evita la depresión. Sin embargo, lo más importante es el mejoramiento de la circulación a nivel cerebral porque logra que las neuronas no se destruyan con facilidad, ya que éstas no se regeneran. Pues bien, quién podría dudar de los beneficios que obtendrás a través de este pequeño esfuerzo si serás grandemente recompensado.

Recuerda cada vez que vayas a probar bocado, que una cantidad mediana de fruta puede ser suficiente, si al comer disfrutas de cada bocado con tranquilidad, ya que con esto darás tiempo suficiente para que la mente reaccione ante la presencia de alimentos en el estómago y así te sentirás satisfecho antes de lo que imaginas. Una vez que termines de comer, no olvides cepillarte los dientes y mirarte al espejo, obsérvate directamente a los ojos y medita sobre cuántas cosas eres capaz de realizar si conservas la *voluntad* y el *amor* por la *vida*.

El *ejercicio rítmico* de esta semana te llevará a culminar los senderos de sanación. La semana anterior pudiste completar seis triángulos que unidos pueden formar una estrella que es el símbolo del equilibrio; sin embargo, aún falta completar la figura. Traza el triángulo a la vez que repites la frase tal como ya lo has hecho anteriormente; para el primer día "*Soy sano, pleno y completo*", continúa hacia el lado izquierdo y para cada día sigue las frases anteriores como en el gráfico. Continúa a diario con este ejercicio hasta que el séptimo día logres decir juntas todas las frases y formes la estrella. Cuando termines el sexto triángulo da un paso hacia el centro y di la siguiente frase: "*Donde hay paz hay amor, donde hay amor hay salud*".

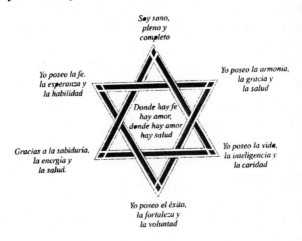

Soy sano, pleno y completo

Yo poseo la fe, la esperanza y la habilidad

Yo poseo la armonía, la gracia y la salud

Donde hay fe hay amor, donde hay amor hay salud

Gracias a la sabiduría, la energía y la salud.

Yo poseo la vida, la inteligencia y la caridad

Yo poseo el éxito, la fortaleza y la voluntad

Cuando estés realizando tu trabajo disfruta de enfrentar cada reto con la *confianza* que has tenido para seguir siendo mucho mejor cada día. Y esta semana cuando te encuentres quizá agobiado por el trabajo recuerda **disfrutar de la serenidad** para calmar todos aquellos pensamientos negativos, aprende lo mucho que te enseña la siguiente frase: "*Aceptar con serenidad las cosas que no puedes cambiar, te da valor para cambiar las cosas que puedes cambiar y sabiduría para reconocer la diferencia*". Después aquiétate un poco y disfruta de no hacer nada durante algunos minutos, después **prosigue con el trabajo** con todo el *empeño* y la *fortaleza* que a cada día te ha mostrado que eres mejor que aquella persona que partió al trabajo el día anterior.

Cada vez que puedas durante esta semana procura darte un **baño aromático de tina**, para armonizar y elevar el espíritu prepara suficiente agua y agrega diez gotas de aceite de ylang-ylang con cinco gotas de aceite de geranio con cuatro cucharadas de jabón líquido neutro, altérnalo con diez gotas de aceite de jazmín con cinco gotas de aceite de ylang-ylang con cuatro cucharadas de miel, disuelve todo en el agua caliente de la bañera. También agrega pétalos de flores de tres colores: blanco, rosa y el color que corresponde a tu temperamento personal (considerado como la emanación del alma por la interrelación de los diferentes humores del cuerpo).

Para ubicar el tipo de temperamento que posees, de acuerdo al planteamiento de Hipócrates y Galeno (grandes médicos de la antigüedad) analiza la definición de los cuatro tipos de temperamentos: los sanguíneos, las personas con un humor muy variable, su color es el rojo; los melancólicos que son personas tristes y soñadoras, su color es el amarillo; los coléricos son personas cuyo humor se caracteriza por una voluntad fuerte y sentimientos impulsivos, su color es el violeta, y los flemáticos que son personas lentas y apáticas, a veces con mucha sangre fría, su color es el azul.

Puedes iluminar la habitación con velas y escuchar música de Mozart como *Pequeña serenata nocturna.* Sumérgete en el agua y respira tranquilamente, cierra los ojos, disfruta del calor del agua y de los gratos perfumes que relajan tu cuerpo.

Por la noche, cuando te encuentres en la serenidad de tu casa y después de tres horas del último alimento del día, dispón de 30 minutos diarios para *meditar y equilibrar*, ve a tu lugar tranquilo y sagrado, enciende una velita azul, verde, amarilla, naranja, roja, violeta y blanca; una varita de incienso de azahar, jazmín, lavanda, rosas, sándalo, lilas y mirra, puedes utilizar pequeñas porciones, forma con todo una estrella de seis picos, coloca la velita blanca y la varita de mirra en el centro, cuando las enciendas ve diciendo fe, júbilo, armonía, caridad, gracia, bondad, paz. Acerca un balde de agua con hielos y un paño de 30 x 60 cm, sumerge el paño y colócalo sobre la cabeza a manera de envoltura o turbante, procura dejar descubiertas las cejas y las orejas, siéntate frente al balde, cierra los ojos, respira tranquilamente, ubica las manos en la zona del ombligo una sobre otra, para los hombres la mano izquierda debe quedar debajo de la derecha (para las mujeres es a la inversa), percibe la energía cálida, brillante, plena y luminosa que se alberga en esta zona, eleva las manos lentamente sobre la cabeza con las palmas hacia arriba, inspira y mentalmente atrae la energía que irradia el cielo, el sol, la luna y las estrellas, expira y voltea las manos hacia abajo y baña con la energía recogida el turbante, repite los últimos movimientos tres veces, después guía las manos lentamente con las palmas hacia adentro hasta la frente, procura alinear la parte media de cada mano con las cejas, percibe la energía que activa el cerebro y la mente, dibuja pequeños círculos en esta zona tres veces. Desciende las manos hasta la mitad del pecho, detente a percibir la energía que estimula el corazón, el timo y el sistema inmunológico. Continúa descendiendo hasta llegar al ombligo, toma un poco de la energía que reservas como si fuera una esfera, guía las manos hasta el balde de agua y déjala caer, dibuja tres círculos con las manos juntas sobre el agua, lleva las manos hasta la envoltura de la cabeza y retírala, sumérgela en el agua, exprímela y de nuevo envuelve la cabeza, cuando termines regresa las manos hacia la zona del ombligo para sellar la energía, abre los ojos y disfruta del tiempo que te reste, medita lo que dice esta hermosa frase:

"Cuanto más cerrada se hace la noche, es cuando más cerca está de clarear".

Al llegar a los 30 minutos retira la envoltura.

Esta semana deberás realizar a diario el ***ritual nocturno***, utiliza pétalos de flores blancas y velitas de color azul, verde, amarillo, blanco, naranja, rojo y violeta. Utiliza el color para cada día en el orden anterior, ubica las velas dibujando un siete, con los pétalos de flores dibuja un triángulo alrededor, ve encendiendo nuevas velitas del color hasta que el séptimo día tengas una figura formada con los siete colores como si fuera un arco iris, de preferencia coloca todo sobre un mantel blanco, acerca los cinco elementos: agua, tierra, fuego, aire y madera, no olvides el vaso de agua que mantuviste intacto en cada comida. Enciende las velas comenzando desde la base de la figura, siéntate frente a la mesa y agradece porque *"En ciertas circunstancias de la vida, al cerrar los ojos has visto mucho más"*.

Y para terminar cada día de esta semana no olvides leer las siguientes frases, antes de dormir.

· *Los caminos que he seguido me han enseñado que existe la esperanza, la fe, el júbilo, la armonía, la caridad, la gracia y la bondad, todo absolutamente todo me llena de paz y de salud interior que se refleja hasta el exterior.*

· *Los hombres y plantas tienen paralelismos, para que vivan se deben ir cultivando.*

· *Soy feliz si tengo todo lo que quiero, pero más aún si quiero todo lo que tengo.*

Buenas noches.

Cuando termines el último día de esta séptima semana del milagro, no necesitarás más palabras para seguir con las enseñanzas para descubrir los secretos de la salud y la sanación, tan sólo porque la *energía* y la *sabiduría* que has albergado hasta hoy te han mostrado el camino para obtenerlas y mantenerlas.

"*La fuerza curativa natural*
que hay dentro de cada uno de nosotros
es la más grande que existe para curarse".

HIPÓCRATES

"*El ayer no es más que un sueño*
el mañana no es más que una visión,
pero el presente bien vivido hace
de cada mañana una visión de
esperanza".

PROVERBIO SÁNSCRITO

Resumen de actividades

· **Elevar el mejor de los pensamientos**
· **Respirar profundamente**
· **Baño de esponja**
· **Baño para depurar**
· **Monodieta**
· **Ritual de la fruta**
· **Ejercicio rítmico**
· **Disfrutar de la serenidad**
· **Proseguir con el trabajo**
· **Baño aromático de tina**
· **Meditar y equilibrar**
Ritual nocturno

Recetario

Ensaladas

ENSALADA AMARILLA

Ingredientes
500g de papaya en cuadros
2 manzanas amarillas en cuadros
1 taza de yoghurt natural
½ taza de semillas de girasol

Procedimiento
Mezclar todos los ingredientes.

ENSALADA DE COL ACOMPAÑADA

Ingredientes
Una col pequeña en tiras
Una lechuga orejona pequeña
4 jitomates en rebanadas
Aceite de oliva y sal
Procedimiento
Colocar en una ensaladera la col, la lechuga y el jitomate, adereza con el aceite y la sal.

ENSALADA MELBA

Ingredientes
½ lechuga romanita
3 duraznos maduros
Aceite de oliva
Jugo de limón y sal
Procedimiento
Mezclar todos los ingredientes.

ENSALADA AMERICANA

Ingredientes
2 naranjas en gajos
1 toronja en gajos
2 manzanas en cuadros
½ vaso de jugo de manzana
Miel o mascabado
6 hojas de lechuga
6 cdas. de crema natural

Procedimiento

Corte los gajos por la mitad y mezcle con las manzanas, el jugo y el mascabado. Sirva en las hojas de lechuga y encima agregue una cucharadita de crema.

ENSALADA DE PUEBLO

Ingredientes
8 nopales tiernos en cuadros
2 jitomates en rebanadas
1 manojo de cilantro picado
1 cebolla en rodajas
2 aguacates en rebanadas
4 cdas. de aceite de oliva
250 g de queso fresco y sal
Procedimiento

Cocer los nopales y escurrirles el agua, agregarle los ingredientes restantes y aderezar con el aceite y la sal.

ENSALADA COMBINADA

Ingredientes
1 chayote en rajas
1 manojo de espinacas en tiras
5 rábanos
2 zanahorias ralladas
½ taza de semillas de girasol
Aceite de oliva y sal
Procedimiento
Mezclar todos los ingredientes.

ENSALADA DE FLOR

Ingredientes
1 lechuga orejona
1 jitomate grande en lunas
1 papa cocida en cuadros
½ taza de perejil picado
2 cdas. de aceite de oliva y sal

Procedimiento
Mezclar la papa con el perejil, el aceite y la sal, colocarlas en el centro de un platón y decorar alrededor con las hojas de lechuga y el jitomate.

ENSALADA ADELGAZANTE

Ingredientes
1 coliflor chica cocida
2 zanahorias ralladas
2 jitomates en lunas
1 manojito de rábanos en bastones
Jugo de limón
Aceite de oliva y sal

Procedimiento
Corte la coliflor en trozos, y mezcle con los demás ingredientes.

ENSALADA DE LECHUGA Y DÁTIL

Ingredientes
1 lechuga cortada en trozos
1 manojo pequeño de berros

250 g de dátiles picados
250 g de queso fresco
1 taza de nata agria
Procedimiento
Mezclar todos los ingredientes.

ENSALADA VARIEDAD

Ingredientes
1 taza de germinado de soya
2 jitomates en rebanadas
1 pepino grande en rodajas
1 taza de apio picado
½ cebolla en rodajas
4 hojas de lechuga en trozos
1 taza de tofu desmoronado
2 cdas. de aceite de oliva y sal
Procedimiento
Mezclar todos los ingredientes, cuando sirva agregue el tofu espolvoreado en cada plato.

ENSALADA APERITIVA

Ingredientes
1 lechuga en trozos
1 manojo de berros picados
1 manojito de rábanos en tiras
Jugo de limón
Aceite de oliva y sal
Procedimiento
Mezclar todos los ingredientes.

ENSALADA BICOLOR

Ingredientes
1 pimiento rojo en rajas sin semillas
1 pimiento verde en rajas sin semillas
2 tallos de apio picados
½ lechuga romanita
1 cebolla pequeña picada
250 g de requesón
2 cdas. de aceite de oliva
Procedimiento
Mezclar todos los ingredientes y aderezar con el aceite.

MANZANA MORADA

Ingredientes
¼ de col morada finamente picada
4 manzanas en cuadros
½ taza de pasitas
1 vaso de yoghurt natural
Procedimiento
Mezclar todos los ingredientes.

ENSALADA VARIADA

Ingredientes
1 coliflor pequeña
3 zanahorias ralladas
3 jitomates en rodajas
1 taza de chícharos tiernos

10 rábanos en flor
1 aguacate en tiras
Aceite de oliva

Procedimiento

Cortar la coliflor en pedacitos y remojar en agua con sal durante una hora, enjuagar y escurrir. En un platón se coloca una capa de coliflor, luego una capa de zanahoria, chícharos, otra de coliflor, jitomate, otra de zanahoria y por último adereza con aceite y sal, decore con el aguacate.

ENSALADA GRIEGA

Ingredientes
1 pepino
3 jitomates
1 diente de ajo
½ taza de aceitunas
250 g de queso panela
3 cdas. de aceite de oliva

Procedimiento

Cortar en rebanadas los jitomates y el pepino, agregar el ajo finamente picado, las aceitunas picadas, el aceite y el queso rallado.

ENSALADA JUGOSA

Ingredientes
3 naranjas dulces
2 toronjas rosadas
2 jícamas pequeñas en rodajas

Procedimiento

Pelar y cortas en rebanadas las naranjas y las toronjas, agregar las jícamas.

ENSALADA DE YOGHURT Y GERMINADOS

Ingredientes

2 tazas de germinados

1 taza de espinacas finamente picada

1 pimiento rojo en rajas

2 pepinillos en rodajas

1 jitomate en trozos

1 diente de ajo picado

2 cdas. de aceite de oliva

2 tazas de yoghurt natural

Procedimiento

Mezclar todo perfectamente y meter al refrigerador durante 20 minutos.

ENSALADA DE ESCAROLA CON BOLITAS

Ingredientes

1 escarola pequeña

2 zanahorias ralladas

1 taza de granos de elote cocidos

2 tazas de melón en bolitas

Jugo de limón y sal

Procedimiento

Mezclar todo perfectamente y meter al refrigerador durante 20 minutos.

ENSALADA BRUSELAS CON MANZANA

Ingredientes
250 g de coles de Bruselas
1 taza de apio rebanado
2 manzanas en cuadros
1 taza de berros en trozos
10 hojas de lechuga
½ taza de ajonjolí
1 taza de jocoque
Procedimiento
Mezclar todo menos la manzana, bañar con el jocoque y espolvorear con el ajonjolí, servir una cucharada de manzana en cada plato.

ENSALADA DE CHÍCHAROS

Ingredientes
1 ½ taza de chícharos tiernos
2 pepinillos en rodajas
1 pimiento en cuadros
250 g de requesón
Sal
Procedimiento
Mezclar todos los ingredientes.

Sopas y cremas

SOPA DE FRIJOLES CON CEBOLLA

Ingredientes
2 tazas de frijoles cocidos
2 cebollas en rodajas
3 cdas. de aceite
1 jitomate picado
1 ramita de epazote
2 tazas de caldo de frijoles
2 tazas de agua y sal

Procedimiento
Acitrone la cebolla, agregue el jitomate y fría ligeramente, licue los frijoles con el agua y añádalos al cocimiento anterior, hierva 10 minutos y añada el caldo de frijoles, hierva unos minutos más y retire del fuego.

SOPA DE ARROZ CON ESPINACAS

Ingredientes
1 manojo de espinacas en trozos
2 tazas de arroz integral cocido
½ cebolla picada
2 ajos picados
1 litro de agua
1 cda. de aceite de oliva

Procedimiento

Hervir ocho minutos el agua, bajar el fuego, agregar el arroz, las espinacas, la cebolla y el ajo acitronados en el aceite, sazonar al gusto.

SOPA DE JITOMATE

Ingredientes

500 g de jitomate
1 cda. de azúcar morena
1 cebolla
1 litro de caldo de verduras
1 cda. de mantequilla vegetal
1 hoja de laurel
1 papa cocida
1 raja de canela
Sal

Procedimiento

Cocer el jitomate picado, con la cebolla, el laurel y la canela, enseguida licuar la papa y freír en mantequilla, agregar el caldo y dejar hervir hasta que espese.

CREMA DE BETABEL

Ingredientes

1 betabel grande
1 papa grande
1 cebolla chica picada
3 tazas de agua
2 tazas de leche
2 cdas. de mantequilla y sal

Procedimiento

Cueza el betabel junto con la papa en agua. En un recipiente acitrone la cebolla y añada la verdura licuada, al primer hervor agregue la leche, deje hervir cinco minutos a fuego lento.

SOPA DE APIO

6 ramas de apio picadas
1 cebolla en rebanadas
2 dientes de ajo
2 cdas. de aceite de oliva
Sal

Procedimiento

Acitronar la cebolla, el ajo y el apio, agregar un litro de agua y sal. Dejar al fuego quince minutos.

SOPA DE PORO

Ingredientes

2 poros grandes en rebanadas
2 zanahorias picadas
2 papas cocidas
3 jitomates
1 trozo de cebolla
2 dientes de ajo
2 cdas. de aceite de oliva
Sal

Procedimiento

Licuar el jitomate con la cebolla y el ajo, freírlo en aceite tibio, agregar todos los ingredientes, cocer y añadir un litro de caldo de verdura.

CREMA DE CHAMPIÑONES

Ingredientes
750 g de champiñones
1 papa cocida
½ cebolla
2 cdas. de mantequilla vegetal
1 ½ taza de leche

Procedimiento
Aparte 10 champiñones y el resto cocínelos al vapor, cuando estén cocidos licúelos con la papa, agréguelo en una sartén donde esté acitronándose la cebolla, sazone y agregue la leche, parta los champiñones en rodajas y agréguelos, retire del fuego 10 minutos después.

SOPA DE CHÍCHAROS

Ingredientes
2 tazas de chícharos
1 trozo de cebolla picada
1 taza de puré de jitomate
2 ajos
Sal
Procedimiento
Acitronar la cebolla y el ajo, agregar el puré, dejar hervir un poco, aparte cocer los chícharos en tres tazas de agua y añadir la mezcla anterior.

CREMA ESPECIAL DE ELOTE

Ingredientes
2 papas medianas
2 tazas de granos de elote cocidos
1 cebolla picada
½ litro de agua
½ litro de leche
Paprika y sal
Procedimiento
Licue las papas y una taza de granos de elote
con el agua, fría este licuado en la mantequilla con
la cebolla acitronada, sazone con sal tres minutos,
añada la leche, cuando dé el segundo hervor retire del
fuego. Recuerde que debe mover continuamente para
que no se pegue. Sirva con granitos de elote cocidos.

CALDO DE QUINTONILES Y HONGOS

Ingredientes
½ kilo de hongos
½ kilo de quintoniles
3 chiles pasilla
¼ de cebolla
3 dientes de ajo machacados
1 cda. de aceite
½ litro de aceite
½ litro de caldo vegetal y sal
Procedimiento
Hierva el agua, al dar el primer hervor baje el
fuego y agregue los hongos en trozos, los quintoniles,

la cebolla, el ajo y el aceite. Antes de que se cuezan adicione el caldo vegetal.

ESPAGUETIS CON NATA

Ingredientes
250 g de espagueti de soya cocido
15 aceitunas en rodajas
100 g de queso rallado
50 g de cacahuates triturados
2 cdas. de mantequilla vegetal
1 taza de nata líquida
Sal
Procedimiento
Engrase un refractario, vierta el espagueti escurrido, agregue un poco de mantequilla derretida con las aceitunas, la mitad de los cacahuates, revuelva bien, añada la nata y espolvoree la otra mitad de cacahuates y hornee durante 15 minutos.

SOPA DE HABAS Y NOPALES

Ingredientes
2 tazas de habas remojadas
4 nopales cocidos en cuadros
2 jitomates picados
½ cebolla picada
2 ajos picados
2 cdas. de aceite
2 ramas de cilantro
1 chile pasilla y sal

Procedimiento

Cocer las habas, aparte freír el jitomate, la cebolla y el ajo, agregar las habas cocidas, el chile, los nopales escurridos y el cilantro.

SOPA VERDE

Ingredientes
2 ramas de apio
1 manojo de espinacas
2 chayotes
½ cebolla
2 ajos
2 cdas. de aceite
Sal

Procedimiento

Picar todos los ingredientes, acitrone la cebolla y el ajo, agregue tres tazas de agua. Hervir dos minutos, bajar el fuego y añadir los chayotes y el apio, unos minutos antes de retirar del fuego agregar las espinacas picadas.

SOPA DE CEBOLLA CON VERDURAS

Ingredientes
2 cebollas grandes
1 papa cocida
6 dientes de ajo
2 tazas de champiñones
5 ramitas de hierbabuena
2 cdas. de aceite y sal

Procedimiento

Acitronar la cebolla y el ajo, licuarlos con la papa, agregarlo a un litro de agua, dejar hervir a fuego lento y agregar los champiñones cortados y la hierbabuena, cocer un poco más hasta que los champiñones estén suaves.

BETABEL A LA CREMA

Ingredientes
1 betabel grande cocido en cuadros
4 calabacitas en cuadros
1 taza de nata batida
½ cebolla picada
½ cdita. de ajo en polvo
1 cda. de mantequilla vegetal y sal

Procedimiento

Acitronar la cebolla, agregar las calabacitas, cuando estén casi cocidas añadir el betabel, el ajo y la nata, mover nuevamente para incorporar los ingredientes, hervir otros tres minutos a fuego lento.

SOPA DE TORTILLA CON CALDO DE FRIJOL

Ingredientes
8 tortillas en tiras freídas
2 tazas de caldo de frijol espeso
1 jitomate grande
½ cebolla picada
1 diente de ajo picado
2 ramas de epazote picado y aceite

Procedimiento

Freír la cebolla, el ajo, el epazote y el jitomate asado y licuado, enseguida adicionar el caldo de frijol con las tortillas, mezclar bien sin romper las tortillas, servir con un poco de crema encima.

<u>SOPA DE HONGOS</u>

Ingredientes
250 g de hongos
2 jitomates picados
½ cebolla picada
1 pimiento morrón picado
1 rama de epazote
3 cdas. de aceite de oliva
Sal

Procedimiento

Freír el jitomate, la cebolla y el pimiento, agregar los hongos en rebanadas, dejar cocer y añadir un litro de agua caliente y apagar al primer hervor.

Platillos

HUEVOS VOLTEADOS

Ingredientes
3 huevos
3 cdas. de pan molido
2 cdas. de mantequilla vegetal
1 taza de espinacas cocidas al vapor

Procedimiento
Engrasar tres moldes de panqué, espolvorear con pan molido, agregar en cada uno un huevo. Meta al horno precalentado, cuando cuaje la clara, retire del horno, voltee sobre una cama de espinacas.

ALAMBRES VEGETARIANOS

Ingredientes
1 manzana
1 calabaza
1 pimiento
1 cebolla de cambray
1 bistec de gluten
1 cda. de aceite
½ cdita. de ajo en polvo y pimienta
Procedimiento
Corte todo en rodajas gruesas, coloque en alambres o palitos de bambú, sazone con el ajo y la pimienta y áselos durante 10 o 15 minutos.

CROQUETAS DE ZANAHORIA

Ingredientes
150 g. de zanahoria cocida
¼ de taza de queso rallado
1 huevo
¼ de taza de pan molido
1 pizca de nuez moscada
Aceite
Procedimiento
Mezclar la zanahoria, el queso, la nuez, el pan molido y un huevo, hacer las croquetas y pasarlas por el huevo a punto de turrón friéndolas de inmediato.

BERENJENAS GUISADAS

Ingredientes
½ kilo de berenjenas
3 jitomates picados
1 pimiento en rajas
½ cebolla picada
1 diente de ajo picado
¼ de taza de aceite
Procedimiento
Pelar y cortar las berenjenas en trozos, vaciar a un recipiente y mezclar con todos los ingredientes, cocer a fuego medio hasta que esté tierna la berenjena.

EJOTES EMPANIZADOS

250 g de ejotes tiernos
2 cdas. de mantequilla vegetal
50 g de pan molido
80 g de queso rallado
Pimienta
Nuez moscada y sal

Procedimiento

Cueza al vapor los ejotes, limpios y sin hebras, agregue los demás ingredientes y siga cocinando a fuego suave.

PAPAS AL HORNO

Ingredientes

4 papas en trozos
1 taza de queso en cuadros
½ taza de leche
1 cda. de mantequilla vegetal
1 cebolla chica en trozos
Sal

Procedimiento

Licuar todos los ingredientes (a excepción de las papas), hasta tener una mezcla suave, agregar poco a poco las papas, sin batir demasiado, vaciar a un molde engrasado y hornear a 180°C durante una hora.

PAPAS ENTOMATADAS

Ingredientes
250 g de papas
1 cebolla chica
2 jitomates picados
1 pimiento en cuadros
2 cdas. de aceite de oliva
1 ramita de perejil picado
Procedimiento
Cocer al vapor las papas, cortarlas en cuadros y mezclar con los ingredientes restantes.

ASADO DE CARNE VEGETAL

Ingredientes
500 g de carne de gluten en rebanadas
20 aceitunas
20 alcaparras
1 cebolla mediana picada
3 cdas. de perejil picado
50 g de nueces picadas
2 dientes de ajo
½ jitomate
4 cdas. de aceite y sal
Pimienta
Procedimiento
Sofría la carne, licue junto con la cebolla, el ajo y las nueces, vierta el licuado sobre la carne, fría unos minutos, sazone y añada el perejil, las aceitunas y las alcaparras, retire del fuego de inmediato.

HAMBURGUESAS DE TOFU

Ingredientes
350 g de tofu
4 cdas. de aceite
½ cebolla picada
1 pimiento picado
1 zanahoria rallada
Harina integral
1 huevo batido
100 g de queso rallado y sal
Procedimiento
Machaque el tofu en un recipiente, agregue la zanahoria, el pimiento y la cebolla acitronados en dos cucharadas de aceite, dos cucharadas de harina, el huevo, el queso y poca sal. Mezcle bien todos los ingredientes, forme las hamburguesas con las manos, húmedas, se espolvorean con suficiente harina y se fríen en el aceite restante hasta que doren por los dos lados.

TORTILLA DE PATATAS

Ingredientes
500 g de patatas
3 huevos
½ cebolla picada
Aceite y sal
Procedimiento
Corte en rodajas la cebolla y las patatas, enseguida fríalas con un poco de aceite, retírelas de la

lumbre y agregue los huevos batidos ligeramente con poca sal, una vez que cuaje el huevo de la vuelta a la tortilla y termine de cocerla.

BISTECES GRATINADOS

Ingredientes
4 bisteces de gluten de trigo
4 rebanadas de queso fresco
4 rajas de chile serrano
4 rodajas de cebolla
4 cdas. de aceite
Orégano y sal

Procedimiento
Freír los bisteces por un lado, voltear y poner encima una rebanada de queso, una rodaja de cebolla, una raja de chile y orégano. Volver a voltear para que se funda el queso.

CARNE DE SOYA CON ACELGAS

Ingredientes
1 taza de soya deshidratada
1 manojo de acelgas
½ cebolla picada
2 jitomates picados
2 chiles serranos
2 dientes de ajo picados
8 cdas. de ajonjolí
3 cdas. de aceite y sal

Procedimiento

Fría la cebolla, el chile y el ajo, agregue el jitomate, el ajonjolí, la carne, sal y pimienta, hierva durante cinco minutos a fuego lento, agregue las acelgas, retírelas del fuego cuando estén tiernas.

PASTEL DE VERDURAS

Ingredientes
¾ de taza de arroz integral remojado
½ taza de chícharos
2 ramas de apio en trozos
1 taza de zanahoria rallada
1 cebolla picada
1 cda. de aceite y sal

Procedimiento

Cueza al vapor el arroz con los chícharos, antes que terminen de cocerse, agregue todos los ingredientes y un vaso de agua. Vacíe el arroz en un molde engrasado y hornee durante 20 minutos a 160°C.

AGUACATE RELLENO

Ingredientes
3 aguacates grandes
1 taza de chícharos cocidos
1 taza de papa cocida en cuadros
1 taza de zanahoria cocida en cuadros
1 taza de ejotes cocidos en trozos
2 cdas. de mayonesa casera

Procedimiento:

Mezclar todos los ingredientes menos el aguacate, cortarlos por la mitad, se retira el hueso y se rellenan con la mezcla.

HUEVOS AL AJILLO

Ingredientes

4 huevos
3 dientes de ajo machacados
3 hojas de albahaca picadas
4 cdas. de aceite de oliva y sal

Procedimiento

Freír los huevos revolviendo con los ajos, agregar la albahaca y la sal.

HUEVOS VERACRUZANOS

Ingredientes

3 tostadas
3 huevos
1 aguacate picado
1 ½ cda. de cebolla picada
1 chile serrano
1 jitomate asado
2 dientes de ajo y sal

Procedimiento

Ase el chile, córtelo en rajas, mezcle con el aguacate y la cebolla. Sobre las tostadas ponga dos cucharadas de esta mezcla, un huevo frito con poca grasa y bañe con la salsa hecha con jitomate, ajo y sal.

CARNE DE GLUTEN EN SALSA CON NUEZ

Ingredientes

½ kilo de bisteces de gluten
125 g de nuez picada
½ cebolla picada
1 cda. de ajonjolí tostado
1 jitomate asado
½ rajita de canela asada
1 clavo
1 chile guajillo
1 chile ancho
125 g de plátano macho picado
50 ml de aceite y sal

Procedimiento

Ase y hierba los chiles. Licue y fría en aceite todos los ingredientes, menos el gluten, deje sazonar unos minutos y agregue el bistec con un poco de agua, retire cuando esté cocido todo.

CREPAS DE HUITLACOCHE

Ingredientes

10 crepas de harina integral
3 huitlacoches picados
½ cebolla picada
1 rama de epazote
½ taza de crema natural
50 g de queso chihuahua rallado

Procedimiento

Acitronar la cebolla y agregar el huitlacoche con

el epazote y sal. Rellene las crepas con el huitlacoche, colóquelas en un molde refractario previamente engrasado, vierta la crema encima, espolvoree el queso y hornee hasta que se funda el queso.

PECHUGAS CON QUESO PARMESANO

Ingredientes
5 rebanadas de pollo vegetariano
1 huevo
125 g de queso parmesano rallado
½ taza de pan molido
Aceite
Pimienta
Cebolla en polvo y sal
Procedimiento
Sazone la carne con sal, pimienta, ajo y cebolla, déjelas reposar una hora, combine el pan molido con el queso. Pase las pechugas por el huevo batido, empanice y fríalas.

CALABACITAS AL HORNO

Ingredientes
250 g de calabacitas tiernas
125 g de queso panela
½ cebolla en rodajas
50 g de queso amarillo rallado
2 cdas. de margarina vegetal
3 chiles chipotles y sal

Procedimiento

Cortar las calabacitas en rodajas delgadas. Engrasar un molde refractario en la margarina, poner una capa de calabacitas y espolvorear con sal, queso panela, chile y terminar con queso amarillo. Hornear hasta que estén cocidas las calabacitas.

LASAGNA SIN CARNE

Ingredientes
125 g de pasta integral
125 g de queso rallado
1 cebolla en cuatro
100 g de jitomate picado
½ pimiento en rajas
50 g de hongos picados
2 ramitas de hierbas de olor
1 taza de salsa de queso
2 cdas. de aceite de oliva y sal

Procedimiento

Cueza la pasta con suficiente agua y un chorrito de aceite, acitrone la cebolla en aceite, agregue el pimiento y fría unos minutos. Añada los jitomates picados y las hierbas de olor. En un refractario engrasado ponga una capa de pasta escurrida, una capa de queso, salsa de jitomate, continúe con los ingredientes hasta terminarlos, cubra finalmente con salsa de queso y hornee hasta que se dore la capa de queso.

CHILAQUILES VERDES

Ingredientes
6 tortillas fritas en tiras
125 g de tomate
2 chiles verdes
5 ramitas de cilantro
1 diente de ajo
1 trocito de cebolla
100 g de queso rallado
50 g de nata batida
1 cda. de aceite

Procedimiento
Licuar el tomate con ajo, cebolla y el cilantro, freír en una cacerola, cuando suelte el primer hervor agregar las tortillas y la nata, servir con queso rallado encima de los chilaquiles.

HUEVOS A LA CATALANA

Ingredientes
2 huevos
2 dientes de ajo
½ cebolla picada
1 jitomate picado
½ zanahoria picada y cocida
½ pimiento picado
1 cda. de aceite y sal

Procedimiento
Freír en una cazuela la cebolla, los ajos, el jitomate y el pimiento, cuando esté todo sazonado

se agregan los huevos y la zanahoria, se deja cocer y se retira del fuego.

QUELITES RELLENOS

Ingredientes
500 g de quelites
2 claras a punto de turrón
125 g de queso fresco
½ taza de harina integral
Aceite y sal
Procedimiento
Limpie y desinfecte perfectamente los quelites, cuézalos al vapor, macháquelos con un aplastador forme bolitas de tres centímetros de diámetro, haga un hueco en cada uno y rellene con queso, vuelva a cerrar, enharínelas y páselas por el huevo, fríalas, retire el exceso de aceite con papel de estraza, sirva con salsa de jitomate.

MILANESA DE GLUTEN DE TRIGO

Ingredientes
2 bisteces de gluten
¼ de taza de leche
1 diente de ajo machacado
½ taza de pan molido
Aceite y sal
Procedimiento
Remojar durante 30 minutos los bisteces en la leche, el ajo y la sal. Enseguida empanizar con el pan molido y freírlos en poco aceite.

PICADILLO DE SOYA

Ingredientes
1 ½ taza de carne de soya molida
1 papa cocida y picada
1 zanahoria cocida y picada
50 g de chícharos cocidos
2 jitomates picados
10 aceitunas
½ cebolla
3 dientes de ajo
3 cdas. de pasitas
2 cdas. de salsa de soya
1 cda. de vinagre de manzana
1 chile seco
4 cdas. de aceite y sal
Procedimiento
Licue y fría el jitomate con el chile, el vinagre, la salsa, la pimienta y la sal, deje hervir cinco minutos, incorpore la carne, la papa, la zanahoria y los chícharos, hierva otros diez minutos a fuego lento.

PIMIENTOS CON HOJAS DE AMARANTO

Ingredientes
2 pimientos rojos picados
½ taza de aceitunas
2 jitomates
1 diente de ajo
1 cebolla picada
2 tazas de hojas de amaranto picadas

Pimienta y orégano

Aceite de oliva y sal

Procedimiento

Fría el ajo y la cebolla, agregue el pimiento, cocine a fuego lento durante cinco minutos, mueva constantemente, añada el jitomate, las hojas de amaranto, el orégano y salpimiente, cocine cinco minutos más y agregue las aceitunas.

PAY DE BRÓCOLI

Ingredientes

1 ½ taza de pasta para pay

1 taza de brócoli cocido

1 taza de queso cottage

¼ de leche búlgara

2 huevos batidos

1 pizca de nuez moscada

Procedimiento

Bata el queso con la leche a baja velocidad, agregue los huevos y la nuez moscada. Vacíe esta mezcla sobre la pasta para pay que estará colocada en el molde engrasado, por último acomode encima el brócoli finamente picado. Hornee a 180°C hasta que esté esponjado y dorado.

AGUACATE ESPECIAL

Ingredientes

1 aguacate en trozos

2 jitomates en trozos

1 taza de crema natural

½ taza de yoghurt

2 cdas. de semillas de girasol y sal

Procedimiento

Ponga a fuego suave la crema con las semillas y un poco de sal, sazone unos minutos y agregue el jitomate, cuando lo retire del fuego agregue el aguacate.

OMELETTE DE AMARANTO

Ingredientes

3 huevos

1 diente de ajo

¼ de cebolla picada

1 taza de hojas de amaranto picadas

5 cdas. de aceite y sal

Procedimiento

Fría la cebolla con el ajo en dos cucharadas de aceite, agregue las hojas de amaranto y cueza a fuego lento, sin dejar de mover retire de la lumbre, en el mismo sartén vacíe los huevos ligeramente batidos, antes de que terminen de cuajar los huevos agregue encima las hojas de amaranto, doble por la mitad y termine de cocer.

EJOTES VESTIDOS

Ingredientes

500 g de ejotes cocidos

4 huevos a punto de turrón

200 g de queso en tiras
1 taza de harina integral y aceite

Procedimiento

Aplastar los ejotes y hacer rollitos rellenar con el queso, amararlos con hilo y pasarlos por harina y después por el huevo, freírlos y quitarles el exceso de grasa con papel de estraza. Puede servir con caldillo de jitomate.

CACEROLA MEXICANA

Ingredientes

1 kilo de espinacas cocidas
1 pimiento picado
1 cebolla picada
5 tallos de apio picado
½ taza de pasas
1 jitomate picado
1 taza de queso cottage
¾ de queso manchego
½ cdita. de canela

Procedimiento

Cueza al vapor el pimiento, la cebolla, el apio, las pasitas, la canela y la pimienta, agregue el jitomate licuado y deje hervir unos minutos. En un molde engrasado ponga la mitad de las espinacas, báñelas con la mitad de la mezcla y cubra con el queso cottage, agregue la otra mitad de las espinacas, la mezcla restante y espolvoree el queso manchego rallado. Hornee a 160°C durante 40 minutos aproximadamente.

PUNTAS A LA MEXICANA

Ingredientes

3 bisteces de gluten
2 jitomates
3 chiles serranos en rajas
1 cebolla picada
5 ajos
½ cdita. de tomillo
4 cdas. de aceite y sal

Procedimiento

Freír los bisteces, la cebolla y los ajos, agregar el jitomate, las rajas y el tomillo, sazonar cinco minutos a fuego lento.

BRÓCOLI CON SALSA HOLANDESA

Ingredientes

1 kilo de brócoli
2 yemas de huevo
3 huevos tibios
1 cda. de cebolla picada
2 cdas. de jugo de limón
½ cda. de sal de ajo
½ taza de mantequilla derretida

Procedimiento

Cocer el brócoli a baño María, cortarlo en trozos grandes y acomodarlo en un platón. Licuar todos los ingredientes menos la mantequilla, una vez que estén mezclados agregar poco a poco la mantequilla derretida, siga licuando hasta que espese la crema, vierta la crema sobre el brócoli.

COLIFLOR ENFUNDADA

Ingredientes
1 coliflor cocida
250 g de queso fresco
1 taza de harina integral
4 claras a punto de turrón y aceite

Procedimiento
Cortar en tiras el queso y colocarlo entre los arbolitos de la coliflor, enharinar cada uno, pasar por huevo y después freírlos.

NIDITOS DE ESPINACAS

Ingredientes
1 kilo de espinacas
6 elotes desgranados cocidos
2 cdas. de aceite
Salsa blanca de crema con queso

Procedimiento
Cocer al vapor las espinacas, mezclarlas con la salsa y formar bolitas del tamaño de un limón, ahuecar para formar los niditos, colocarlos en un molde engrasado, rellenar con granos de elote, hornear a fuego lento 15 minutos.

TINGA POBLANA

Ingredientes
2 tazas de soya hidratada
10 g de achiote disuelto
2 ajos machacados
1 kilo de jitomate
1 chipotle adobado
1 trozo de cebolla
2 dientes de ajo
3 cdas. de aceite

Procedimiento
Escurra la soya y agregue el achiote, deje reposar una hora. Aparte licue los jitomates con el chile, la cebolla, el ajo, fría la mezcla en un poco de aceite. Adicione la soya, deje hervir hasta que esté cocida la soya, agregue una poquita de agua si es necesario.

CHAYOTES GRATINADOS

Ingredientes
4 chayotes en cuadros
1 cebolla en rodajas
3 cdas. de aceite
100 g de queso fresco rallado
50 g de queso chihuahua rallado y sal

Procedimiento
Cocer los chayotes en su jugo a fuego lento, antes de que se terminen de cocer, agregue la cebolla acitronada, mezclar bien, espolvorear el queso fresco y al final el queso chihuahua. Retirar del fuego cuando gratine el queso.

Postres y panes

BUÑUELOS DE MANZANA

Ingredientes
4 cdas. de harina integral
5 cdas. de agua
3 cdas. de harina
1 clara de huevo
6 manzanas
2 cdas. de mascabado
Mantequilla vegetal y canela en polvo

Procedimiento
Mezcle la harina con el agua hasta obtener una pasta lisa, agregue la clara de huevo a punto de turrón. Corte las manzanas en rodajas, sumérjalas en la mezcla y fríalas en poca mantequilla. Quite el exceso de grasa con una servilleta y sirva espolvoreado el mascabado y la canela.

BISQUET DE SOYA

Ingredientes
2 tazas de harina de soya
2 tazas de harina blanca
10 cdas. de manteca vegetal
1 ½ cda. de sal
3 cdas. de azúcar morena
Leche agria

Procedimiento

Mezclar perfectamente las harinas y la manteca, cuando esté grumosa agregar la leche mezclando con una pala de madera, sáquela con cuidado y extiéndala sobre una tabla enharinada, forme una capa de tres centímetros de grueso, corte los bisquets con un molde especial, barnícelos con huevo batido y hornee hasta que estén bien cocidos y dorados.

HOT CAKES DE TRIGO INTEGRAL

Ingredientes
1 taza de harina integral
1 taza de germen de trigo
2 cditas. de royal
50 g de nuez picada
50 g de pasitas
6 cdas. de aceite
2 huevos enteros
2 tazas de leche
2 cdas. de vainilla

Procedimiento
Mezclar muy bien todos los ingredientes. Untar con mantequilla un comal y vaciar un poco de la mezcla y cocerlo perfectamente por los dos lados.

YOGHURT DE CIRUELA PASA

Ingredientes
300 g de ciruelas pasas
½ litro de yoghurt y media taza de mascabado

Procedimiento

Remojar las ciruelas pasas en agua durante toda la noche, deshuesarlas y agregar al yoghurt, endulce con mascabado.

SORBETE DE UVA

Ingredientes

500 g de uvas verdes sin semilla
2 cdas. de miel
2 cdas. de jugo de manzana y una clara de huevo

Procedimiento

Hacer un puré con las uvas y extraer su jugo. Batir el jugo de uva, la miel y el jugo de manzana, congelar durante cuatro horas. Pasado este tiempo batir para dar cuerpo, agregar en forma envolvente la clara de huevo y congelar nuevamente tres horas.

FRESAS AL YOGHURT

Ingredientes

1 kilo de fresas desinfectadas
1 taza de yogurt
1 taza de crema dulce
¼ de taza de miel
6 orejones picados y extracto de vainilla

Procedimiento

Bata la crema en la licuadora, agregue el yoghurt, la vainilla, la miel y siga batiendo, corte por la mitad las fresas. Ponga en un platón báñelas con la mezcla y espolvoree con los orejones.

GELATINA DE BERROS

Ingredientes
250 g de berros desinfectados
2 tazas de leche
1 ½ taza de agua
1 taza de miel
1 durazno en rodajas
El jugo de dos limones

Procedimiento
Quite los tallos gruesos a los berros , licúelos con el jugo de limón, el agua y tres cuartos de taza de miel. Hierba la leche, adicione la grenetina disuelta en un poco de agua, mueva bien, incorpore el licuado de berros, fuera de la lumbre; vuelva a licuar todo y vacíe en un molde, refrigere y sirva adornado con el durazno.

COCOL DE TRIGO

Ingredientes
1 ½ tazas de harina integral
½ piloncillo
200 ml de aceite
2 cdas. de royal
2 cdas. de canela en polvo y agua

Procedimiento
Mezcle la harina con el royal y la canela, agregue el aceite y el piloncillo disuelto previamente en 150 ml de agua, añada poco a poco el agua hasta que obtenga una masa manejable. Unte aceite a la masa y deje reposar durante dos horas. Haga los cocoles y hornee a 180°C hasta que cuezan.

BUDÍN DE ARROZ

Ingredientes
700 g de arroz integral remojado
5 cdas. de mantequilla
5 cdas. de nueces
8 cdas. de frutas cubiertas
10 cdas. de puré de dátil
7 cdas. de piloncillo rallado
Procedimiento
Hierva el arroz hasta que esté pastoso. Engrase un molde con mantequilla, ponga las frutas y las nueces en el fondo y en las paredes del molde. Aparte mezcle el arroz con la mantequilla restante y el piloncillo, vacíe la mitad de la mezcla en el molde, encima agregue el puré de dátil y sobre ésta el resto del arroz. Cubra el molde con papel aluminio y cueza a baño María durante una hora. Deje enfriar un poco y voltee el budín en una charola.

ROSQUILLAS

Ingredientes
3 huevos
½ vaso de jugo de manzana
100 g de azúcar
½ vaso de agua
600 g de harina integral
Canela en polvo y azúcar morena
Procedimiento
Mezclar los huevos con el agua, el azúcar y el jugo, agregar la harina y batir hasta obtener una pas-

ta homogénea, reposar diez minutos, extender con un rodillo hasta dejar la pasta de tres centímetros de espesor. Corte la masa en tiras y déle forma de rosquillas, fríalas en aceite, retire cuando estén doradas. Escurra el exceso de grasa en papel de estraza. Espolvoree con canela y azúcar.

BISQUET DE NATA

Ingredientes
500 g de harina integral
800 g de nata
3 cdas. de royal
½ cdita. de sal
1 yema de huevo y leche
Procedimiento
Mezclar bien la harina con la sal y el royal, agregar la nata y leche para formar una pasta suave, extender la mezcla con un rodillo y un poco de harina, hasta dejarla de un centímetro de grosor, cortar con molde para bisquets y barnizarlos con la yema de huevo, hornear a temperatura media.

PAN INTEGRAL

Ingredientes
4 tazas de harina integral
1 cda. de royal
50 g de mantequilla derretida
1 cda. de azúcar
1 cda. de sal y agua tibia

Procedimiento

Mezclar perfectamente todos los ingredientes, agregar poco a poco agua hasta obtener una pasta suave, vacíe en un molde engrasado y hornee a 180°C durante treinta minutos.

HOT CAKES DE SOYA

Ingredientes
2 tazas de harina de soya
2 tazas de harina integral
1 huevo
2 cdas. de mascabado
2 cdas. de royal
Leche de soya
Mantequilla vegetal

Procedimiento

Bata la yema de huevo con el mascabado y un poco de leche, agregue la harina, el royal y más leche hasta formar una pasta espesa, añada la clara batida y revuelva en forma envolvente. Engrase una sartén con mantequilla, agregue un poco de la mezcla cuando salgan burbujas, voltee y sirva inmediatamente.

MERMELADA DE ROSAS

Ingredientes
2 litros de agua
750 g de azúcar morena
30 rosas abiertas muy perfumadas
Jugo de limón

Procedimiento

Hierva a fuego lento el agua con el mascabado, cuando empiece a espesar agregue los pétalos de rosas con el jugo de limón, deje hervir una hora más sin dejar de mover. Envase en un frasco esterilizado una vez que esté fría. Mantenga en refrigeración.

TRUFAS DE AVENA

Ingredientes
1 ½ vasos de avena
1 huevo
1 taza de mascabado
4 cdas. de algarrobo
200 g de margina vegetal
1 cda. de vainilla
50 g de pasas
½ taza de nuez molida

Procedimiento

Licue la avena y mézclela con la margarina derretida, agregue el algarrobo, la vainilla, el azúcar y los huevos a punto de cordón. Guarde la mezcla en el refrigerador hasta que endurezca, agregue las pasas. Tome pequeñas porciones y forme la forma de trufas, revuélquelas en la nuez molida.

JAMONCILLO CON FRUTAS

Ingredientes
½ taza de mascabado
1 taza de agua

3 cdas. de mantequilla

1 ½ taza de leche en polvo

½ taza de frutas secas picadas

Procedimiento

Disuelva el mascabado en agua a fuego lento durante ocho minutos, retire y cuando esté tibio agregue una cucharada de mantequilla y la leche en polvo, revuelva bien y vuelva a poner al fuego durante cuatro minutos, mueva constantemente hasta que se despegue, saque de la lumbre e incorpore la mantequilla restante y las frutas secas, vierta en una charola engrasada con mantequilla, empareje la pasta hasta que quede una capa de dos centímetros de grosor, adorne con fruta seca o nueces. Cuando enfríe corte en cuadritos o al gusto.

DULCE DE PAPAYA

Ingredientes

1 papaya amarilla mediana

1 kilo de azúcar morena

1 raja de canela

1 cda. de vainilla

3 clavos de olor

½ litro de agua

1 pizca de sal

El jugo de un limón

Procedimiento

Hervir el agua con el azúcar y la pizca de sal, dejar a fuego lento y agregar el resto de los ingredientes, retirar del fuego hasta que la papaya esté cristalizada.

FLAN DE DOS LECHES

Ingredientes
1 ½ litro de leche de vaca
6 cdas. de leche de soya en polvo
300 g de mascabado
5 huevos
1 cda. de vainilla
100 g de azúcar morena

Procedimiento
Licue la leche de vaca con la leche de soya y el mascabado, vacíe en una olla, ponga al fuego hasta que se consuma la mitad, retire y deje enfriar, añada los huevos, la vainilla, mezcle bien y vierta en un molde con caramelo hecho con el azúcar quemada. Cueza a baño María por 30 minutos.

HELADO DE FRUTA Y VAINILLA

Ingredientes
½ taza de leche
½ taza de crema
½ taza de manzana rallada
½ taza de queso cottage
7 dátiles en trozos
3 cdas. de miel y una cda. de vainilla

Procedimiento
Licue todos los ingredientes hasta obtener una mezcla fina y suave, refrigere y cuando esté semidura vuelva a batir, meta al congelador hasta que obtenga una consistencia firme.

PALITOS DE QUESO

Ingredientes

250 g de queso amarillo

1 ½ taza de harina integral

½ taza de harina blanca

¼ de taza de aceite

2 huevos

1 cda. de royal

Procedimiento

Mezclar todos los ingredientes menos un huevo, formar palitos largos y barnizarlos con el huevo batido, hornear en una charola engrasada a fuego medio.

TARTA DE OREJONES DE ALBARICOQUES

Ingredientes

400 g de orejones de albaricoque

3 cdas. de mascabado

200 g de manzanas

1 ½ taza de pasta hojaldrada

Procedimiento

Remoje los orejones durante ocho horas o durante toda la noche, después córtelos en cuadros y mézclelo con la manzana rallada y el mascabado. Coloque una taza de pasta hojaldrada sobre un molde engrasado, vierta la mezcla de los orejones y cubra con tiras de la pasta restante. Meta al horno a fuego medio hasta que dore la pasta.

FLAN DE NARANJA

Ingredientes
10 g de mantequilla
210 g de mascabado
2 huevos
2 yemas de huevo
1 naranja en gajos
Ralladura de naranja y vainilla

Procedimiento
Disuelva 150 g de mascabado en 30 ml de agua y póngalos al fuego hasta que se convierta en caramelo, bañe por dentro seis moldes pequeños para flan previamente engrasados con mantequilla. Hierva la leche con la vainilla, retire del fuego y agregue los huevos mezclados con las yemas y el mascabado restante, revuelva bien y cuele, añada la ralladura de naranja. Vacíe la mezcla en los moldes, cueza a baño María hasta que cuando introduzca un palillo éste salga limpio, cuando sirva adorne con los gajos de naranja.

WAFLES DE MIJO

Ingredientes
1 cda. de levadura seca
1 taza de agua de papa tibia
½ taza de harina de mijo
1 cda. de miel
1 cda. de aceite
1 huevo batido
2 tazas de harina integral y una pizca de sal

Procedimiento

Disuelva la levadura en media taza de agua de papa. Hierva la otra mitad de agua y vierta sobre la harina de mijo, agregue la miel, cuando esté tibio revuelva con la levadura y repose unos minutos. Una vez que aumente su volumen agregue los demás ingredientes y mezcle perfectamente, divida en seis porciones iguales en un aparato para waffles.

PANQUECITOS DE TRIGO Y MANZANA

Ingredientes
2 tazas de harina integral
1 taza de germinado de trigo
1 taza de puré de manzana
2 barritas de mantequilla
4 huevos
1 taza de mascabado
Ralladura de un limón y yoghurt
Procedimiento

Batir la mantequilla con el mascabado hasta que acreme, añadir los huevos, la harina, el trigo molido, el puré, la ralladura de limón, debe quedar una pasta suave, si es necesario agregue yoghurt, vacíe la mezcla en moldes previamente engrasados y hornee a 180°C durante 30 minutos.

COPA DE PRIMAVERA

Ingredientes
1 vaso de jugo de manzana

1 manzana en rodajas delgadas

4 ciruelas en trozos

250 g de fresas en trozos

200 g de cerezas en trozos

3 cdas. de coco rallado

2 cdas. de miel y vainilla

Procedimiento

Mezcle las frutas, excepto el jugo de manzana. Sirva las frutas en copas, rocíelas con el jugo de manzana mezclado con miel y vainilla, espolvoree el coco rallado.

DULCE DE MANZANA CON YOGHURT

Ingredientes

½ taza de yoghurt

2 cdas. de yerbabuena picada

3 cdas. de almendras molidas

3 cdas. de jugo de naranja

3 manzanas rebanadas

½ taza de pasas

Procedimiento

Mezclar todos los ingredientes y dejar reposar treinta minutos antes de servir.

DULCE DE MAMEY

Ingredientes

2 mameyes grandes

2 tazas de leche

1 taza de azúcar mascabado

100 g de almendras picadas

Procedimiento

Poner en una olla los mameyes pelados y sin hueso, la leche y el azúcar, cocine a fuego lento sin dejar de mover, cuando espese agregar las almendras, mezcle perfectamente los ingredientes y retire del fuego.

PAY DE LIMÓN Y QUESO

Ingredientes
1 taza de pasta para pay
150 g de queso panela
100 g de queso crema
¼ de lata de leche condensada
2 cdas. de mascabado
1 huevo
El jugo de un limón
Procedimiento
Coloque la pasta para pay sobre un molde engrasado. Licue todos los ingredientes del relleno y viértalos sobre la pasta. Meta al horno y retire hasta que cuaje y dore un poco el relleno.

BUDÍN DE TAPIOCA Y FRESAS

Ingredientes
3 cdas. de tapioca
½ taza de mascabado
1 ½ taza de fresas rebanadas
1 taza de agua
2 cdas. de jugo de limón

½ taza de crema batida

1 pizca de sal

Procedimiento

Cueza la tapioca con el azúcar y la sal, sin dejar de mover. Cuando esté fría agregue los demás ingredientes, mezcle bien y sirva.

BISQUET DE AVENA

Ingredientes

200 g de avena

100 g de mantequilla

1 huevo

200 g de azúcar mascabado

1 cda. de vainilla

100 g de harina integral

Procedimiento

Tueste los copos de avena, bata la mantequilla hasta acremar, agregue los demás ingredientes para formar una pasta suave. Repose la pasta treinta minutos, enseguida extiéndala con un grosor de tres centímetros, corte con moldes, hornee a 160°C, durante 30 minutos.

PANQUECITOS DE GERMEN DE TRIGO

Ingredientes

2 tazas de germen de trigo

1 taza de harina integral

1 taza de mascabado

2 cdas. de royal

1 ½ vaso de leche

½ vaso de agua
½ taza de pasas
½ taza de nueces
Ajonjolí

Procedimiento

Mezcle todos los ingredientes, vacíe en moldes para panquecitos previamente engrasados, espolvoree el ajonjolí encima y meta al horno a 160°C aproximadamente durante veinticinco minutos.

MERMELADA DE ZANAHORIA Y NARANJA

Ingredientes

6 zanahorias ralladas
5 naranjas en rebanadas
500 g de mascabado
2 rajas de canela

Procedimiento

Poner al fuego la naranja con el azúcar y la canela, cuando ablanden un poco agregar la zanahoria, dejar cocer a fuego lento, enfriar y guardar en el refrigerador.

HELADO DORA

Ingredientes

1 litro de leche
300 g de mascabado
2 huevos
3 yemas
1 cdita. de vainilla
500 g de fresas

Procedimiento

Mezclar la leche, el mascabado, la vainilla, ponga al fuego, retire antes de que empiece a hervir, añada los huevos y las yemas batidas. Una vez que haya enfriado incorpore las fresas hechas puré, a la mezcla previamente colada, meta al refrigerador a congelar.

CHONGOS ZAMORANOS

Ingredientes
5 litros de leche bronca
1/8 de pastilla para cuajar
500 g de azúcar morena
4 rajas de canela

Procedimiento

Entibiar la leche y agregar la pastilla disuelta en un poco de leche, mezclar perfectamente y retirar del fuego para que cuaje. Una vez cuajada cortar trozos medianos, espolvorear el azúcar y las rajas de canela. Volver a hervir a fuego lento hasta que esté cocido.

PASTEL DELICADO

Ingredientes
1 taza de pasas
1 taza de agua
¾ de azúcar mascabado
2 ½ tazas de harina integral
1 pizca de sal
2 huevos

Procedimiento

Mezcle perfectamente todos los ingredientes agregándolos uno a uno. Engrase un molde con aceite y vierta la mezcla, hornee durante treinta minutos a fuego medio.

NARANJAS ESTOFADAS

Ingredientes
6 naranjas
1 taza de miel
1 manzana
1 taza de fresas
Procedimiento
Corte las naranjas por la mitad, saque la pulpa, deseche las fibras. Mezcle la pulpa con la miel y la manzana rallada, rellene las cáscaras de naranja con esta mezcla y adorne con fresas.

DULCE DE ARROZ HORNEADO

Ingredientes
2 tazas de arroz integral remojado
½ taza de leche condensada
4 tazas de agua
1 raja de canela
100 g de pasas
100 g de coco rallado
½ taza de leche
½ taza de piloncillo rallado
3 yemas a punto de cordón

Procedimiento

Cocer el arroz y vaciarlo en un molde refracta-rio junto con el resto de los ingredientes, tratando de que el coco y las pasas queden encima. Hornear du-rante veinte minutos.

BUDÍN DE UVA Y MANZANA

Ingredientes

1 vaso de jugo de uva
1 vaso de jugo de manzana
½ taza de cebada hervida y molida
Mascabado

Procedimiento

Hierba los jugos con un poco de mascabado, agregue la cebada en forma de lluvia, mueva cons-tantemente a fuego lento hasta que espese.

FLAN DE MANZANA

Ingredientes

5 manzanas cocidas
5 claras de huevo a punto de turrón
1 cda. de canela en polvo
El jugo de un limón
Azúcar mascabado

Procedimiento

Licuar las manzanas, colar y agregar los demás ingredientes menos la canela. Hornear a fuego me-dio durante quince minutos, cuando enfríe espolvo-rear la canela.

GELATINA DE ALGAS

Ingredientes
50 g de grenetina sin sabor
2 litros de agua
500 g de piña dulce
3 rebanadas de piña en trocitos
Algas marinas disecadas
Mascabado

Procedimiento
Disuelva completamente la grenetina en un poco de agua tibia. Aparte muela la piña con el mascabado y las algas, mezcle todos los ingredientes y meta a refrigerar en un molde engrasado.

Bebidas

LICUADO DE FRESAS

Ingredientes
2 vasos de leche búlgara
1 taza de fresas desinfectadas
3 cdas. de miel
Procedimiento
Licuar todos los ingredientes.

LIMONADA

Ingredientes
5 limones
Mascabado
2 litros de agua
Procedimiento
Exprima los limones, agréguelos junto con el mascabado y endulce al gusto.

AGUA REFRESCANTE

Ingredientes
1 kilo de kiwis
10 hojas de lechuga desinfectadas
2 ramas de apio
2 litros de agua y mascabado
Procedimiento
Licuar todos los ingredientes.

CAFÉ DE SOYA

Ingredientes
1 taza de frijol de soya
Agua o leche
Procedimiento
Tostar el frijol en un comal, hasta que esté dorado, triturarlo en la licuadora, hasta dejarlo como polvo, disuelva en agua de la misma manera como el café común.

NÉCTAR DE DURAZNO

Ingredientes
1 taza de duraznos en cuadros
1 taza de jugo de toronja
1 cda. de miel
1 taza de hielo picado
Procedimiento
Licue perfectamente todos los ingredientes.

HORCHATA DE NUEZ

Ingredientes
1 taza de nuez
1 ½ litro de agua
Mascabado
Procedimiento
Licúe perfectamente todos los ingredientes.

NARANJADA

Ingredientes
2 vasos de jugo de naranja
1 taza de agua
2 vasos de agua mineral
Jarabe de naranja
Procedimiento
Mezcle perfectamente todos los ingredientes.

REFRESCO DE MENTA

Ingredientes
2 vasos de jugo de toronja
El jugo de un limón
3 cdas. de miel
3 hojas de menta machacadas
1 litro de agua
Procedimiento
Mezcle perfectamente todos los ingredientes.

TÉ DE LIMÓN

Ingredientes
1 litro de agua muy caliente
El jugo de cuatro limones
Miel
Procedimiento
Agregue al agua el jugo y la miel disuelva y sirva caliente.

AGUA ROSA DE GUAYABA

Ingredientes
250 g de guayabas rosadas
250 g de guayabas amarillas
1 ½ litro de agua y mascabado
Procedimiento
Licuar todos los ingredientes.

TÉ DE MANZANA

Ingredientes
½ taza de cáscaras de manzana secas
1 cáscara de limón
1 litro de agua
Jugo de limón y miel

Procedimiento
Hierva durante diez minutos las cáscaras, cuele y endulce con miel y unas gotas de limón para darle sabor.

CAFÉ DE CEREALES INTEGRALES

Ingredientes
¾ de taza de trigo
½ taza de cebada
1/3 de taza de centeno
Procedimiento
Dorar todos los ingredientes, como si fuera café, moler y disolver como acostumbra.

LIMONADA CALIENTE

Ingredientes
2 limones asados
3 tazas de agua hirviendo y miel
Procedimiento
Inmediatamente después de asar los limones, exprímalos, agregue el agua caliente y endulce con miel.

TÉ CON JUGO DE NARANJA

Ingredientes
4 sobres de té de limón
4 tazas de agua
Media naranja en jugo
½ naranja en rodajas
4 cubos de hielo
cascara de naranja y miel
Procedimiento
Hervir el agua durante diez minutos a fuego lento, retirar del fuego y agregar los demás ingredientes, reposar durante diez minutos, colar y verter en una tetera.

ATOLE DE MASA DE CHOCOLATE VEGETARIANO

Ingredientes
1 taza de masa
½ taza de algarrobo en polvo
1 ½ taza de agua
1 cdita. de vainilla y mascabado

Procedimiento

Poner al fuego el agua, disolver la masa en poca agua, al empezar a hervir el agua añada la masa disuelta, el algarrobo, la vainilla, antes de retirar del fuego endulce con mascabado.

TÉ DE SALVADO

Ingredientes
1 taza de salvado
1 litro de agua
Jugo de limón y miel
Procedimiento
Dore ligeramente el salvado y hiérvalo después en agua durante diez minutos. Endulce con miel y añada el jugo de limón.

AGUA DE PITAHAYA

Ingredientes
1 kilo de pitahayas
2 litros de agua
Mascabado
Unas gotas de limón
Procedimiento
Pelar las pitahayas y licuarlas con los ingredientes restantes.

AGUA MIXTA

Ingredientes
2 vasos de jugo de uva
2 vasos de jugo de pera
1 litro de agua y miel
Procedimiento
Mezclar todos los ingredientes.

TÉ DE ALMENDRAS

Ingredientes
1 litro de agua
3 sobrecitos de té de almendra
10 almendras peladas
1 chorrito de licor de almendras
Hielo triturado y miel
Procedimiento
Hierva el agua durante diez minutos a fuego lento, vacíela en un recipiente y añada el licor, el té, las almendras, deje reposar 10 minutos, retire los sobres de té, endulce con la miel y sirva con un poco de hielo.

REFRESCO DE FRAMBUESA

Ingredientes
500 ml de jugo de frambuesa
500 ml de agua mineral
4 cdas. de jugo de limón
Procedimiento
Mezclar perfectamente todos los ingredientes.

PONCHE DE GUAYABAS

Ingredientes
1 kilo de guayabas
2 litros de agua
1 taza de ciruelas pasas
½ taza de pasas
1 raja de canela y piloncillo
Procedimiento
Corte por la mitad las guayabas y cuézalas en el agua, cuando esté a punto de hervir agregue los demás ingredientes. Deje que se terminen de cocer las guayabas y retire de la lumbre.

ATOLE DE TRIGO SENCILLO

Ingredientes
1 taza de trigo integral
2 litros de agua
1 raja de canela y piloncillo
Procedimiento
Remoje desde la noche anterior el trigo en medio litro de agua, ponga al fuego con el agua de remojo y el agua restante, una vez que se abran la mayoría de los granos, retire de la lumbre y deje enfriar un poco, licúelo perfectamente, vuelva a poner al fuego y agregue el piloncillo, mueva hasta que se desbarate, si lo desea menos espeso agregue más agua.

AGUA DE BETABEL Y PIÑA

Ingredientes
1 betabel en cuadros
4 rebanadas de piña en trozos
2 litros de agua y mascabado
Procedimiento
Licuar todos los ingredientes.

AGUA DE MANZANA CON NUEZ

Ingredientes
3 manzanas
½ taza de nuez
1 ½ litro de agua y miel
Procedimiento
Licuar todos los ingredientes.

HORCHATA DE AVELLANAS

Ingredientes
1 taza de almendras doradas
1 litro de agua y miel
Procedimiento
Licuar todos los ingredientes.

PONCHE ESPAÑOL

Ingredientes
½ litro de leche
2 yemas de huevo

¼ de taza de vino de jerez

Canela en polvo y mascabado

Procedimiento

Licue perfectamente la leche con las yemas, la canela y el mascabado, añada el jerez y vuelva a licuar.

LECHE DE SOYA

Ingredientes

2 taza de frijol de soya

Agua

Procedimiento

Remojar el frijol durante toda la noche. Licuarlo con el agua de remojo, puede agregar más agua, vacíelo en una olla de dos litros, hierva 15 minutos a fuego lento y mueva de vez en cuando para que no se pegue. Cuando se enfríe cuele y exprima la mezcla en una servilleta limpia. El liquido que se obtiene es la leche y la masa es llamada ókara.

LICUADO DE MAMEY

Ingredientes

½ litro de leche búlgara

½ pieza de mamey

1 cda. de miel

Procedimiento

Licuar todos los ingredientes.

BEBIDA PERUANA

Ingredientes
150 g de cebada tostada
35 g de linaza
½ zanahoria
1 manzana chica
2 ramitas de llantén o diente de león
2 ramitas de bolde
2 ramitas de manzanilla
2 ramitas de hierbaluisa
1 rebanada de piña con cáscara
Jugo de limón y miel
Procedimiento
Hierva durante una hora la linaza con la cebada en dos y medio litros de agua, agregue la piña, la zanahoria, la manzanilla, la hierbaluisa, cueza diez minutos más, cuele, endulce con la miel y agregue el jugo de limón.

TÉ DE PIÑA ESPECIAL

Ingredientes
1 ½ litro de agua
3 cdas. de té de limón
2 vasos de jugo de piña
3 rebanadas de piña en almibar
Jugo de limón y miel
Procedimiento
Ponga al fuego el agua, al dar el primer hervor agregue el té, cueza diez minutos a fuego lento, cue-

le y vacíe en une tetera, agregue el jugo de piña y el limón. Sirva y endulce con miel, agregue trozos de piña.

<u>ATOLE DE COCO</u>

Ingredientes

2 tazas de coco rallado fresco
2 tazas de agua
1 litro de leche
1 raja de canela
Mascabado

Procedimiento

Ponga al fuego la leche, al dar el primer hervor agregue el coco licuado con el agua, la canela y el mascabado. Mueva para que no se pegue.

Conclusión

La congruencia de cada uno de nuestros actos de la vida siempre se verá reflejada en nuestra salud, en nuestro estado mental, en nuestro cuerpo espiritual y finalmente veremos que la vida solamente nos fue prestada un poco para hacerla más brillante y, fomentar el grado de conocimiento y desarrollo de la humanidad con nuestro trabajo y con futuras generaciones que van a ir aprendiendo del mismo.

En estas *Siete semanas del milagro* yo espero que hayas encontrado el camino no tan complicado de la salud, yo espero que hayas encontrado una forma más práctica de ver el mundo, que al paso del tiempo valores cómo ha cambiado tu cuerpo y tu mente, que al paso de tus actividades se transformen y seas capaz de todo aquello que te propongas.

Creo que la función principal del ser humano es ser un catalizador de pensamientos y energías capaces de establecer un camino que te permita ser y ver los potenciales que posee, que seamos capaces de convertir el yermo que nos ha sido entregado al principio de la vida en un vergel que finalmente fructifique y dé a luz el fruto que nos ha tocado ser en el tinglado perfecto que es la naturaleza, que sea el camino que el cosmos ha marcado y que al final de nuestra vida tengamos el reconocimiento personal al que nos hayamos hecho acreedores, así que ojalá en este libro encuentres la luz que al final de tu vida marque tu sensibilidad para ver que la vida solamente te ha dado una parte, pero que te corresponde ganarte el resto.

Recuerda que en la existencia del ser humano siempre va a haber momentos de triunfo, derrota, desgracia, alegría y tristezas, pero que a cada uno corresponde darle la jerarquía que se debe y el lustre que haya que darle, espero que el lustre sea mayor que otras cosas, pues de cada acto de nuestra vida se aprende más que de cualquier otra cosa que hayamos leído.

Yo te recomiendo que cada vez que leas este libro lleves a la práctica lo que aquí propongo y te convertirás en un fiel seguidor de la disciplina de la salud, que solamente sea tu libro de cabecera y que seas quien fomente y cuide cada instante de la vida de tu familia, de tu comunidad, y de esta forma te convertirás en el mejor elemento del círculo social.

En este libro yo espero que hayas entendido que la felicidad no se encuentra en lo complicado de nuestros actos y efectos, sino por el contrario, en lo más sencillo, en lo más diáfano de nuestros actos, y para cambiarlos solamente nos hace falta entender que tenemos la capacidad necesaria para poder cambiar y adaptarnos a lo más conveniente para disfrutar y conquistar lo que deseamos.

La vida solamente es un conjunto de sueños, emociones y deseos que por sí solos no tienen valor, pero cuando nuestra mente y espíritu le van dando la asociación y sentido se transforman en los grandes adelantos y realizaciones que dan giros espectaculares a la humanidad.

En muchas ocasiones pensamos que solamente tiene valor lo que han hecho nuestros héroes más conocidos o los triunfadores de la humanidad, pero esto no es verdad absoluta, ya que lo que estamos conformando es la totalidad de la humanidad, somos los que hacemos prácticas esas invenciones, somos esa parte de la vida que vamos perfeccionando las maravillas que otros crean hasta hacerlas lo que son, y además vamos dándoles otras funciones que originalmente no tenían y finalmente desechamos porque ya aparecieron otras mejores, pero todo esto solamente es capaz de hacerlo el ser humano.

Somos seres sensibles a los que poco a poco debemos hacernos entender que los cambios tienen que ser de raíz, que los cambios deben hacer que cada actividad de vicio, de acto malsano, lo que nos llevará indefectiblemente a padecer las consecuencias de los mismos, así que por qué no cambiarlas por *Las siete semanas del milagro* que te propongo, por qué no hacerlo por lo menos tres veces al año, ¿Porqué no alcanzar el mundo que está a nuestra disposición con sólo intentarlo?

Piensa en las oportunidades que da la vida, conforme vamos avanzando en edad se nos van haciendo más difíciles (porque así lo pensamos), piensa que jamás es tarde para cambiar, que jamás es tarde para evitar todo aquello que nos hace mal, para llegar a ser el ser humano que siempre hemos deseado, para completar el círculo al que nos proponemos llegar a formar parte.

Considero que cada parte de nuestro ser debe ser explotada y explorada en su justa dimensión, que cada parte de nuestro cuerpo debe funcionar armoniosamente, que cada célula de nuestro cerebro tiene un potencial enorme al que no le hemos dado la importancia que tiene, quizá por ignorancia, pero también en ocasiones por descuido absurdo que solamente nos hace valorar el esfuerzo físico y jamás el intelectual, así que por qué no vamos a valorarlo de manera asociada, por qué no vamos conjuntando mente y cuerpo como lo has aprendido en este libro y diariamente en el transcurso de tu vida has posible el milagro de la vida que es tu potencial como ser humano.

Ojalá que éste sea tu libro de cabecera, que cumpla con la función para la que fue escrito, que cambies tus formas de acuerdo a tus estilos, y sobre todo que sepas entender las necesidades de tu ser, esa es la función que yo creo que tú debes entender.

Recuerda que el creador de la vida de tu vida eres solamente tú, que sólo a ti te corresponde conformar los caminos por los que te vas a ir, y que sólo a ti te corresponde hacerlos más fáciles o más difíciles, y que cada vez que te impongas metas deberás de ser congruente con ellas, que solamente tú sabes la calidad de vida que deseas y que quizá te consideres al principio poco valioso pero al final del cuento sabrás que eres un ser humano igual de valioso que cualquier otro, que eres un ser humano con los mismos potenciales que todos los demás y sólo de ti depende alcanzar a esa estrella que solamente tú sabes que existe, pues lo que nos debe de quedar claro es que cada ser humano es un mundo distinto, con valores y formas distintas, que por fuera es idéntico a otro, en realidad es muy distinto, y esa es la cualidad milagrosa de cada quien, pues al final solamente uno sabe el valor y el significado de cada acto de su vida.

Ese milagro es el ser humano, que cada instante cambia el sentido de su vida que cada instante cambia lo que considera que debe de cambiar y que este libro de *Las siete semanas del milagro* deberá de ser esa parte del cambio al que debemos aspirar todos los seres humanos, así que *Bienvenidos al Mundo de la Vida y del Mundo de los Mil Sueños. Bienvenidos al Mundo Real y Maravilloso* al cual tenemos la dicha de pertenecer.

Ojalá éste sea el camino del cambio al que aspiras, repítelo en la práctica las veces que consideres necesario, repítelo hasta que hayas memorizado cada parte de *Las siete semanas del milagro* y encontrarás que valió la pena ese esfuerzo que hiciste para lograr la felicidad.

Quiero agradecer como siempre la colaboración para la elaboración de este libro a *Claudia Granados Alquicira* quien como siempre lo ha hecho como parte del equipo de **Bionatura**, vayan mis agradecimientos.

Sean parte del mundo de la vida y del sueño, sean parte de los que todavía no se atreven a hacer realidad lo que al parecer es solamente una quimera, y cuando vean que lo hacen, pasarán a ser los verdaderos maestros de la humanidad, aquellos que van marcando caminos.

Él levanta el polvo del pobre,
y al menesteroso alza del muladar,
para hacerlos sentar con los príncipes.
Con los príncipes de su pueblo.

SALMOS 113 VERS. 7,8

Esta edición se imprimió en Enero de 2005. Grupo Impresor Mexicano. Trueno Mz 88 Lt 31 México, D.F. 09630